D1384781

Les
PETITS TRUCS
DE MA GRAND-MÈRE

Édition du Club France Loisirs, Paris, avec l'autorisation des Éditions Morisset.

© Éditions Morisset, juillet 1994.

© France Loisirs, 1998, pour la présente édition

ISBN : 2-7441-2323-4

LES PETITS TRUCS DE MA GRAND-MÈRE

Clarisse JOLLET

Illustrations de Ghislaine Descamps

FRANCE LOISIRS
123, boulevard de Grenelle, Paris

À Gwendy, Gwenaelle, Korridwen.

SOMMAIRE

POIDS ET MESURES

Équivalences ajoutées spécialement pour les membres de Québec Loisirs

Système impérial

Longueurs

pouce	2,54 cm
pied = 12 pouces	30,48 cm
verge = 3 pieds	91,44 cm
mille	1,609 km

Surfaces

pouce carré	6,54 cm²
pied carré	0,093 m²
verge carré	0,836 m²

Superficies

Mille carré = 640 acres	2,599 km²

Volumes

pouce cube	16,387 cm³
pied cube	0,028 m³
verge cube	0,765 m³

Poids

Once (oz) = 1/16 lb	28,35 g
Livre (lb) = 16 oz	0,454 kg

Températures (Fahrenheit = F)

212° F : eau bouillante	100° C
104° F	40° C
98,6° F	37° C
86° F	30° C
68° F	20° C
50° F	10° C
32° F : glace fondante	0° C

Pour convertir en °C :
1) enlever 32°
2) multiplier par 5/9
Ex. 104° F − 32° = 72° × 5/9 = 40° C

Système métrique

Longueurs

millimètre (mm)	0,039 pouce
centimètre (cm) = 10 mm	0,394 pouce
décimètre (dm) = 10 cm	3,937 pouces
mètre (m)	1,094 verge
	= 3,281 pieds
décamètre (dam) = 10 m	10,94 verges
hectomètre (hm) = 100 m	109 verges
kilomètre (km) = 1 000 m	1 093 verges

Surfaces

millimètre carré (mm²)	0,002 pouce carré
centimètre carré (cm²)	0,155 pouce carré
décimètre carré (dm²)	15,50 pouces carrés
mètre carré (m²)	1 550 pouces carrés

Superficies

centiare (ca) = 1 m²	1 550 pouces carrés
are (a) = 100 centiares	0,0247 acre
hectare (ha) = 100 ares	2,47 acres
kilomètre carré (km²)	0,386 mille carré

Volumes

centimètre cube (cm³)	0,061 pouce cube
décimètre cube (dm³)	61,023 pouces cubes
mètre cube (m³)	35,32 pouces cubes

Poids

hectogramme (hg)	3,527 oz
kilogramme (kg)	2,205 lb

Températures (Celsius = C)

100° C : eau bouillante	212° F
40° C	104° F
37° C	98,6° F
30° C	86° F
20° C	68° F
10° C	50° F
0° C : glace fondante	32° F

Pour convertir en °F :
1) multiplier par 9/5
2) ajouter 32
Ex. : 37° C × 9/5 = 66,6° + 32 = 98,6° F

Savoir tout ce qu'il faut faire en cas de problème, connaître toutes les astuces pour faire au mieux, au moins cher, le plus souvent possible et en toute circonstance n'est pas toujours évident. Se précipiter dans un magasin pour acheter l'antidote à un cas précis ou avoir recours à sa meilleure amie ou aux voisins n'est pas toujours facile. Aussi est-il préférable de connaître un certain nombre de « trucs », plus astucieux les uns que les autres, adaptés à chaque cas.

Si comme moi, vous avez eu la chance d'avoir une grand-mère prodigue en conseils et astuces en tout genre, vous êtes capable de vous débrouiller. Dans le cas contraire, ce livre vous est nécessaire et bientôt vous ne pourrez plus vous en passer. Il vous fera non seulement gagner du temps et économiser de l'argent, mais encore vous évitera de vous énerver et de vous stresser :

• La tache de café ou de vin sur votre robe blanche ne sera plus une catastrophe ;

• La crème anglaise qui tourne juste avant l'arrivée de vos invités ne gâchera pas votre repas ;

• L'invasion des insectes l'été dans vos placards se réglera rapidement, etc.

Mais au fait, qu'est-ce qu'un truc ? Le dictionnaire encyclopédique Larousse nous en donne la définition suivante : « Savoir-faire, procédé, astuce ». Nous pourrions ajouter « tour de main, recette, secret ». En bref, un truc est un petit « plus », un moyen simple dont le but principal est de nous faciliter la vie en venant à bout de nos petites difficultés quotidiennes et ce, dans les domaines les plus divers : bricolage, cuisine, santé, beauté, entretien, jardinage, animaux.

Or en toute circonstance, il existe un truc, une astuce

que nous ne connaissons pas toujours et grâce à laquelle notre travail serait grandement facilité et le résultat obtenu bien meilleur. C'est pourquoi les petits trucs de ma grand-mère contenus dans cet ouvrage vous séduiront incontestablement par leurs nombreuses qualités et vous ne pourrez que les adopter sans hésiter. Voyez plutôt :

• Ils simplifient la vie de tous les jours ;

• Ils vous font aller plus vite ;

• Ils vous permettent de réaliser de substantielles économies ;

• Ils vous aident à réussir plus aisément vos préparations culinaires ;

• Ils vous aideront à retrouver forme et bien-être ;

• Ils vous permettront de prendre en main votre beauté et votre santé ;

• Ils vous donnent la satisfaction de résoudre le plus efficacement possible les petits problèmes domestiques, de garder la tête froide, de vous maîtriser en toute occasion.

Essayez, c'est facile ! Sans compter que la plupart des trucs que nous vous proposons ont en commun leur facilité, leur rapidité d'exécution et l'utilisation de produits simples.

Découvrez avec nous des tas de trucs transmis de bouche à oreille, de mère en fille ; retrouvez dans ces pages les recettes oubliées de nos grand-mères, leurs tours de main, leurs petits secrets et leurs conseils judicieux, destinés à venir à notre secours en toute occasion. Usez-en, abusez-en, diffusez-les autour de vous afin d'éviter qu'ils ne tombent dans l'oubli et disparaissent à tout jamais !

Ce serait dommage...

CHAPITRE 1

LA CUISINE
« ASTUCES »

En cuisine comme dans les autres domaines, un « truc » se révèle toujours fort utile; il est même indispensable si l'on veut faire vite et bien.

En effet, ne négligez jamais ces moyens simples certes, mais combien efficaces. Ils vous faciliteront la besogne et vous éviteront bien des désagréments (beurre rance, crème tournée, mayonnaise ratée...).

Ils représentent pour vous une garantie de réussite parfaite.

Les spécialistes eux-mêmes ne les dédaignent point, mais bien au contraire s'en servent couramment; les trucs font partie intégrante de leur art et leur permettent ainsi d'être plus performants tout en économisant temps et argent.

Dans cette rubrique nous avons regroupé quelques-uns des trucs culinaires les plus intéressants, ceux qui vous rendront le plus de services dans votre pratique quotidienne.

Contenance des cuillères

1 cuillerée à café rase contient :
liquide 5 ml
cacao 4 g
farine 5 g
huile 5 g
riz cru 5 g
sel 5 g
sucre 6 g
plantes séchées tassées 3 g

1 cuillerée à soupe rase
contient :
liquide 20 ml
cacao 10 g
farine 15 g
huile 16 g

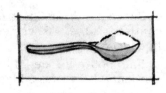

riz cru 18 g
sel 15 g
sucre 20 g
plantes séchées tassées 10 g

CONTENANCE DES VERRES

1 verre contient :
liquide 125 ml
cacao 90 g
farine 80 g
huile 115 g
riz cru 110 g
sel 170 g
sucre 120 g

- Un verre à eau contient 20 cl
- Un verre à bordeaux contient 12 à 14 cl
- Un verre à champagne contient 12 à 15 cl
- Un verre à Madère contient 8 à 10 cl
- Un verre à liqueur contient 2 à 2,5 cl

CONTENANCE DES LITRES

- Un litre contient 5 verres d'eau
- Une bouteille bordelaise contient 6 à 7 verres à bordeaux
- Une bouteille champenoise contient 6 à 7 coupes de champagne ou 20 à 22 verres à liqueur
- Une bouteille de Chartreuse contient 30 à 38 verres à liqueur
- Une bouteille de Madère contient 8 à 9 verres à Madère

Mesure des liquides

1/4 tasse : 60 ml
1/3 tasse : 80 ml
1/2 tasse : 125 ml
1 tasse : 250 ml

Température du four

- doux : 160 °C thermostat 3
- moyen – : 180 °C thermostat 4
- moyen + : 190 °C thermostat 5
- chaud – : 200 °C thermostat 6
- chaud + : 220 °C thermostat 7
- très chaud – : 230 °C thermostat 8
- très chaud + : 240 °C thermostat 9

Pour évaluer la température du four, introduire une feuille de papier blanc.

Si le papier reste blanc, le four est tiède, s'il jaunit, le four est chaud, s'il brunit, le four est très chaud.

LES LÉGUMES

Ail

- Vous avez haché trop d'ail ! Conservez le surplus dans un petit ramequin et recouvrez d'huile.
- Il sera plus digeste si vous éliminez le germe vert contenu dans la gousse.

● Vous avez mangé de l'ail et votre haleine s'en ressent ; pour l'améliorer vous pouvez soit mâcher un brin de persil, soit croquer un grain de café.

Ail, oignon

● Vous les conserverez suspendus en bouquet ou en tresse dans une pièce bien sèche.

Artichaut

● Vous conserverez vos artichauts crus une bonne semaine en les mettant dans un vase rempli d'eau sucrée ; coupez la tige un peu chaque jour.

● Une fois cuits, les artichauts ne se conserveront pas plus d'un jour, et bien sûr au réfrigérateur ; au-delà ils s'oxydent.

● Pour éviter qu'ils ne noircissent en cuisant, versez le jus d'un demi-citron dans l'eau ou aussi un filet de vinaigre et 1 cuillerée à soupe de sucre.

Asperge

● Coupez la queue dure et fibreuse, puis pelez le reste de l'asperge avec un économe.

Aubergine

● Pour éviter que vos aubergines ne s'imbibent d'huile à la cuisson, enduisez-les avant avec un blanc d'œuf.

● Les choisir à peau fine d'un beau violet pourpre et ferme au toucher.

Laisser les noires de côté, elles sont vieilles et renferment quantité de petites graines.

Champignon

● Pour conserver leur parfum aux champignons, ne les pelez pas; c'est dans leur peau qu'est enfermé leur parfum.

Chou

● Si vous le préparez cru, laissez-le macérer dans la sauce 2 ou 3 heures afin de l'attendrir.

Chou-fleur

● Pour empêcher les odeurs dans la maison lors de la cuisson du chou-fleur, plusieurs trucs : mettre un croûton de pain dans l'eau ou une cuillerée à soupe de farine ou encore un bouchon en liège.

● Pour qu'ils restent bien blancs, ajoutez 1 cuillerée à soupe de farine à leur eau de cuisson; c'est aussi valable pour les salsifis.

Concombre

● Il perdra son amertume si vous le laissez dégorger dans du lait sucré.

Cresson

● Pour garder le cresson frais, mettez-le dans un vase rempli d'eau comme un bouquet.

Endive

● Pour que les endives perdent leur amertume, lavez-les sans les laisser séjourner dans l'eau; une immersion prolongée les rend amères.

ÉPINARD

● Savez-vous que les épinards sont délicieux également crus, en salade, coupés en lanières ? Quelle agréable manière d'assimiler de nombreux éléments nutritifs : fer, chlorophylle, vitamines A, B et C.

FENOUIL

● Utilisez ses feuilles vertes hachées finement dans vos salades pour les parfumer.

HARICOT VERT

● Pour qu'ils restent bien verts, il suffit de saler l'eau de cuisson et de ne pas couvrir.

● Les fils des haricots verts s'enlèveront facilement si vous les ébouillantez auparavant 2 minutes.

MÂCHE

● Prenez soin de bien laver la mâche afin d'éliminer totalement le sable ; il n'y a rien de plus désagréable qu'un grain de sable qui crisse sous la dent. Cette salade très fragile doit être assaisonnée au tout dernier moment sinon ses feuilles prendraient rapidement un aspect fané peu engageant.

MAÏS

● Pour rendre moelleux vos épis de maïs, faites-les cuire dans 3/4 d'eau et 1/4 de lait.

OIGNON

● Pour ôter l'odeur de l'oignon dans votre poêle ou cocotte, frottez-la avec de la menthe fraîche.

● Les oignons vous font pleurer ? Mettez-les au réfrigérateur 2 heures avant de les éplucher.

POIVRON

● Pour ôter aisément leur fine pellicule, faites-les cuire sous le grill chaud jusqu'à ce qu'ils brunissent, puis enfermez-les dans un torchon humide et laissez-les refroidir.

POMME DE TERRE

● Elles n'éclateront pas si vous salez leur eau de cuisson.

● Vous ferez de parfaites pommes de terre sautées en les cuisant auparavant à l'eau bouillante 5 minutes. Ensuite, vous les égoutterez et les ferez sauter à la poêle dans l'huile.

● Pour empêcher que vos pommes de terre ne noircissent une fois cuites et épluchées, faites-les tremper dans de l'eau salée.

● Pour une salade, vous les assaisonnerez chaudes.

● Pour obtenir des pommes de terre fermes, arrêtez leur cuisson en les passant sous l'eau froide ; un autre avantage, elles refroidiront plus rapidement.

● Vous cuirez vos pommes de terre pelées dans de l'eau additionnée de vinaigre blanc ; elles resteront bien blanches et ne se déferont pas.

● Vous rendrez à vos vieilles pommes de terre toute ratatinées leur bonne mine d'antan en les mettant à cuire dans de l'eau additionnée de vinaigre dans les proportions suivantes : 1/4 litre de vinaigre pour un litre d'eau.

RADIS

● Pour reconnaître un bon radis : ses fanes doivent être très vertes et bien fermes et le radis doit être ferme et croquant. Il ne doit pas piquer.

● Ne jetez pas les fanes de vos radis surtout s'ils sont tout frais. Elles feront d'excellents potages additionnées de quelques pommes de terre.

● Vos radis s'ouvriront en jolies fleurs décoratives si vous incisez leur extrémité en 3 ou 4 et les laissez ensuite tremper quelques minutes dans de l'eau glacée.

● Votre botte de radis a mauvaise mine ; les radis sont mous et les feuilles fanées. Laissez les tremper dans de l'eau fraîche vinaigrée.

SALADE

● Zut ! vous avez versé un peu trop de vinaigre dans votre salade. Pour y remédier, placez dans le saladier une boule de mie de pain et remuez bien ; la mie de pain absorbera toute la sauce, vous en serez quitte pour la refaire, mais attention au vinaigre.

SALADE VERTE

● Pour rendre une salade moins amère (pissenlit, salade des champs...), préparez un assaisonnement à base de miel et de yaourt.

● Vous avez oublié votre salade verte au fond du panier et elle est toute flétrie ; plongez-la dans l'eau chaude 10 minutes, elle aura meilleure mine.

● Pour l'avoir prête sous la main et la conserver quelques jours, lavez 2 ou 3 salades d'avance, bien sécher les feuilles et les placer dans une boîte en plastique au réfrigérateur.

TOMATE

● Si la peau de la tomate vous gêne, sachez qu'elle s'enlève très facilement après avoir été ébouillantée ; les tomates seront alors un peu moins fermes.

● Pour éliminer l'acidité de la tomate, ajoutez-y une pincée de sucre lors de la cuisson.

● Pour les éplucher facilement, plongez-les quelques secondes dans l'eau bouillante.

● Vous voulez faire des tomates farcies ! Pour les faire dégorger, évidez-les, saupoudrez-les de gros sel et retournez-les.

● Vous pouvez aussi si vous n'avez pas le temps de les faire dégorger, déposer au fond de chaque tomate quelques grains de riz ou de couscous qui absorberont l'eau en cuisant.

Légumes

● Pour éliminer les insectes de certains légumes (salades, artichauts...) versez dans la dernière eau de rinçage un jus de citron ou un filet de vinaigre.

● N'épluchez pas vos légumes à condition qu'ils soient de culture biologique ; c'est à l'intérieur de la peau que l'on retrouve concentrée la majorité des vitamines et sels minéraux.

Légumes congelés

● Une fois épluchés et lavés, cuisez-les toujours 2 minutes à l'eau bouillante, puis mettez-les dans des sachets en plastique. Ils garderont ainsi leur arôme et leur croquant une fois décongelés.

Légumes gelés

● Pour qu'ils retrouvent fraîcheur et bonne mine, les plonger dans de l'eau froide salée.

Légumes secs

● Vos lentilles seront meilleures et plus parfumées si vous ajoutez dans leur eau de cuisson 1 cuillerée à soupe de vinaigre et 2 cuillerées à soupe de sucre.

● Vous calculerez comme suit le temps de cuisson de vos haricots secs : âgés de moins de 4 mois : 1 heure, 1/4 heure de cuisson en plus par mois d'âge.

● Pour empêcher la formation d'écume à la surface de l'eau de cuisson de vos légumes secs, incorporez lui 1 cuillerée à soupe d'huile.

● Pour préserver les haricots secs des charançons, il suffit de les conserver dans un bocal contenant quelques feuilles de laurier.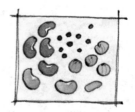

LÉGUMES VERTS

● Pour conserver aux légumes verts une belle couleur verte, jetez-les dans beaucoup d'eau salée en pleine ébullition et à feu très vif, faites-les cuire non couverts.

● Lavez vos légumes rapidement sous l'eau sans les laisser tremper, ils laisseraient échapper certaines de leurs vitamines solubles dans l'eau.

LES FRUITS

ABRICOT

● Préférez les abricots secs de couleur brune ; ils sont entièrement naturels à l'inverse des abricots oranges, traités et conservés au moyen d'anhydride sulfureux, souvent responsables de maux d'estomac.

AGRUMES

● Vous prélèverez le zeste d'un citron ou d'une orange en pelant le fruit superficiellement au moyen d'un couteau économe.

CHÂTAIGNE

● Pour éplucher facilement des châtaignes, il suffit de les mettre la veille au réfrigérateur, puis de les plonger dans l'eau bouillante, puis dans l'eau glacée.

CITRON

● Quelques gouttes de jus de citron ajoutées en fin de cuisson de votre caramel le conservera liquide.

● Si vous n'avez besoin que de quelques gouttes de jus de citron, piquez ce dernier avec une aiguille et pressez-le jusqu'à obtention de la quantité désirée.

● Quelques gouttes de jus de citron sur vos fruits et légumes pelés éviteront leur oxydation et donc qu'ils ne noircissent.

● Si vous avez utilisé son zeste pour faire un gâteau, votre citron restera frais encore plusieurs jours si vous le placez dans un récipient rempli d'eau que vous changerez tous les jours.

● Pour que votre citron rende plus de jus, faites-le rouler plusieurs fois sur la table en appuyant dessus assez fortement.

● Vous n'avez besoin que d'une moitié de citron; ce n'est pas grave, posez l'autre moitié sur une petite assiette, côté ouvert en haut et pointe sur l'assiette et recouvrez-le d'un verre.

FIGUE

● En lieu et place des figues fraîches (dont la saison

ne dure guère), utilisez des figues sèches que vous mettrez à tremper la veille dans de l'eau ou du thé.

FRAISE

● Pour laver vos fraises, placez-les dans une passoire et passez-les rapidement sous l'eau. Équeutez-les ensuite sinon elles se gorgeraient d'eau et perdraient leur goût.

● Le parfum de vos fraises sera rehaussé si vous les arrosez d'un jus de citron.

● Avant de congeler vos fraises, rincez-les puis roulez-les dans du sucre en poudre. Faites-les congeler en les étalant. Une fois congelées, vous pouvez alors les placer dans une boîte.

MELON

● Vous pouvez recueillir la chair du melon en petites boules à l'aide d'une petite cuillère ronde réservée à cet effet. Ce sera du plus joli effet dans une salade de fruits.

POMME

● Vous voulez faire des pommes au four; elles ne se rideront pas si vous pensez à les badigeonner d'huile au pinceau avant de les cuire. Même chose pour les pommes de terre.

Pruneau

● Ils seront plus savoureux si vous les faites tremper dans un thé sucré pour agrémenter gâteaux, entremets ou compotes.

Fruits secs

● Les amandes se casseront plus facilement si vous les faites griller auparavant doucement au four quelques instants.

● Vous accentuerez la saveur de vos fruits secs avant de les utiliser dans les pâtisseries en les passant quelques minutes au four.

● Pour monder vos amandes facilement, plongez-les dans l'eau bouillante quelques minutes.

QUELQUES TRUCS EN PLUS

● Choisissez toujours des légumes et fruits de culture biologique, vous n'aurez pas besoin de les éplucher et profiterez au maximum de leurs vitamines et sels minéraux.

● Rien de plus désagréable que de retrouver dans votre assiette des brins secs de thym ou de romarin. Placez-les dans une boule à thé ou dans un petit sachet de mousseline.

● Une branche de persil dans votre huile de friture évitera les odeurs dans la pièce.

● Pour conserver vos fines herbes fraîches et les avoir toujours sous la main, il faut les laver, les envelopper dans un chiffon humide que vous mettez dans un sac en plastique, le tout au réfrigérateur.

LES ŒUFS

● Un œuf frais coule à pic dans une casserole d'eau froide salée (12 g de gros sel pour 1 litre d'eau).

● S'il flotte à la surface, jetez-le.

● S'il reste entre les deux, il a entre 3 et 5 jours, mangez-le mais plus à la coque.

● Si la coquille d'un œuf est fêlée, vous éviterez qu'il ne se vide lors de la cuisson en frottant la fêlure avec du jus de citron.

● Pour que vos œufs au plat ne collent pas à la poêle et ne se cassent pas, saupoudrez de farine le beurre ou l'huile de cuisson.

● Pour augmenter le volume de vos œufs brouillés, battez les blancs en neige et ajoutez-les aux jaunes directement dans la poêle. Bien mélanger pendant la cuisson.

● Vos œufs brouillés seront plus moelleux si vous leur ajoutez en fin de cuisson un jaune d'œuf.

● Pour couper impeccablement des œufs durs, trempez votre couteau préalablement dans de l'eau bouillante.

● Vos œufs durs s'éplucheront facilement si vous ajoutez une goutte de vinaigre à leur eau de cuisson.

● Ils ne se casseront pas si vous salez l'eau.

● Ne laissez pas cuire trop longtemps vos œufs durs sous peine de voir apparaître autour du jaune une pellicule gris-vert; passez les immédiatement sous l'eau froide pour les refroidir.

● En versant un filet de vinaigre dans l'eau de cuisson des œufs pochés, vous activerez ainsi la coagulation du blanc.

● Pour que votre omelette n'attache pas à la poêle, incorporez aux œufs battus un peu de beurre fondu.

● Pour séparer les blancs des jaunes, cassez vos œufs au-dessus d'un entonnoir, le blanc passera à travers, le jaune restera dedans.

● Cuisson des œufs : les plonger dans l'eau bouillante, à la coque 3 minutes après reprise de l'ébullition, mollets 5 minutes après reprise de l'ébullition, durs 10 minutes après reprise de l'ébullition.

LA VIANDE

● Pour que la viande conserve tout son jus, ne la salez pas avant de la cuire et ne la piquez pas avec la fourchette. Vous la retournerez avec le plat du couteau.

● Vous voulez servir votre rôti froid ce soir au dîner! Pour qu'il reste bien moelleux, enveloppez-le dans du papier d'aluminium dès que vous le sortirez du four.

● Si vous le mangez chaud, laissez-le reposer quelques minutes dans le four éteint, porte ouverte ; il sera plus tendre.

● Afin que le bord de vos escalopes ne se rétracte pas à la cuisson, faites tout autour de petites incisions avec un couteau.

● Vos morceaux de veau resteront bien blancs si vous les frottez avec du jus de citron avant de les cuire.

● La cervelle restera ferme si vous ne la faites pas bouillir. Procédez plutôt ainsi : portez à ébullition un court bouillon, ôtez du feu, plongez la cervelle. Laissez-la macérer une dizaine de minutes.

● Pour éviter que les saucisses n'éclatent à la cuisson, arrosez-les d'eau bouillante juste avant ou piquez-les avec une fourchette ou encore laissez-les tremper dans l'eau froide 30 minutes avant de les cuire.

● Pour redonner du moelleux à de petits poulets ou à un faisan, introduire à l'intérieur un petit suisse.

● Pour attendrir votre bifteck, enduisez-le d'huile 30 minutes avant sa cuisson.

● Pour éviter que la face coupée de votre saucisson ne se dessèche, enduisez-la de beurre.

● Pour attendrir un morceau de viande, enduisez-le de moutarde la veille.

● Pour dégraisser un pot-au-feu, vous mettrez avec vos légumes une pomme que vous ôterez, bien sûr, en fin de cuisson ; elle aura absorbé toute la graisse.

LE POISSON, LES CRUSTACÉS
ET LES COQUILLAGES

● Pour empêcher que le poisson ne colle à la poêle, saupoudrez le fond de la poêle de gros sel.

● Si vous n'avez pas envie que votre appartement soit envahi par l'odeur de votre poisson, mettez à brûler des feuilles de laurier ou des brins de thym dans une petite assiette.

● Rappelez-vous que les laitances de poisson dont le nom commence par un « b » ne peuvent se consommer.

● Les harengs saurs se dessalent en étant plongés, 1 heure environ, dans du lait froid.

● Pour rendre vos poissons plus croustillants, les tremper d'abord dans du lait, puis dans de la farine avant de les faire frire.

● Vous ferez dessaler vos anchois en les laissant tremper quelques minutes dans du lait cru ou dans du vinaigre de vin.

● Pour donner à vos crevettes une jolie couleur rose, ajoutez à leur eau de cuisson des pelures d'oignons.

● Faites pocher votre morue dans du lait, vous la rendrez plus blanche et bien meilleure.

● Vous digérerez plus facilement vos sardines, si vous prenez soin d'ôter leur peau.

● Si vos huîtres sont difficiles à ouvrir, plongez-les quelques instants dans de l'eau vinaigrée.

Vinaigre, huile et vinaigrette

● Une méthode très efficace pour mélanger les divers ingrédients de la sauce consiste à les mettre tous dans un bocal, à le fermer et à le secouer vigoureusement pendant quelques secondes.

● Vous pouvez ainsi préparer à l'avance votre vinaigrette dans le bocal; elle se conservera plusieurs jours même hors du réfrigérateur et vous apprécierez le gain de temps que cela vous occasionnera.

● Pour faire votre sauce de salade, commencez toujours par dissoudre le sel dans le vinaigre (le sel ne se dissout pas dans l'huile), puis ajoutez les autres ingrédients (1 cuillerée à soupe de vinaigre pour 3 cuillerées à soupe d'huile).

● Faire son vinaigre, rien de plus simple. Un peu de mère (agent de fermentation) récupérée au fond d'une bouteille d'un très bon vinaigre oublié au fond d'un vieux placard et le tour est joué.
Prévoyez une dame-jeanne ou un tonnelet à vinaigre en terre cuite. Placez-y la mère et au fil des jours, ajoutez-y les fonds de vinaigre, d'alcool, de vin ou de cidre. Laissez le temps œuvrer sans jamais boucher hermétiquement votre tonnelet.
Une simple gaze mettra votre vinaigre à l'abri des insectes et de la poussière.

● Vous obtiendrez un excellent vinaigre au goût très fin en faisant macérer dans du vinaigre de vin, des mûres, des fraises des bois ou des framboises.

● L'huile de noix rancit très rapidement, il faut donc la stocker dans un flacon opaque, à l'abri de la lumière et ne pas en faire de grosses réserves.

● On peut faire disparaître le goût de rance de l'huile en lui ajoutant du charbon de bois très finement pulvérisé (100g pour un litre).
Agitez quelques instants, puis filtrez l'huile.

● Faites vous-même vos vinaigres aromatisés : il suffit de glisser dans votre bouteille quelques herbes aromatiques (thym, romarin, serpolet, estragon, basilic...) des petits piments, des aromates... Vous compléterez en ajoutant 30 g de sucre ou 1 cuillerée à café de miel par litre.

LE BEURRE

● Pour enlever le goût désagréable de rance à votre beurre, le pétrir dans une eau contenant du bicarbonate de soude (40 g de bicarbonate pour 1 litre d'eau) et le laisser macérer dans cette eau 2 heures. Rincez ensuite à l'eau froide.

● Une autre méthode consiste à planter au beau milieu de votre plaquette de beurre une carotte crue épluchée et à laisser agir 3/4 heure.
Mais vous éviterez d'en arriver là en conservant votre beurre bien tassé dans un bol renversé sur une assiette creuse, remplie d'eau salée. Votre beurre ainsi ne rancira pas.

● Pour éviter que le beurre ne grésille et ne saute partout, jetez dans la poêle une bonne pincée de sel.

● Si votre réfrigérateur est en panne ou que vous campiez, vous pourrez malgré tout conserver parfaitement votre beurre; pour cela, enveloppez-le dans un torchon imbibé d'eau vinaigrée.

LA MAYONNAISE

● Pour éviter qu'elle tourne, ne pas utiliser des ingrédients sortant directement du réfrigérateur; attendre qu'ils soient à température ambiante.

● Si votre mayonnaise tourne, versez vite un filet de vinaigre et une pincée de sucre semoule en remuant sans-cesse.

LE LAIT

● Votre lait a attaché : pour lui ôter ce désagréable goût de brûlé, transvasez-le aussitôt dans une autre casserole que vous recouvrez d'un torchon propre et mouillé; 30 minutes après, ôtez le torchon, le rincer à l'eau froide et recommencer l'opération 2 à 3 fois jusqu'à ce que le lait n'ait plus le goût de brûlé.

● Le lait n'attachera plus à la casserole lors de sa cuisson, si vous passez la casserole auparavant sous l'eau froide.

● Vous éviterez d'avoir un goût de bouilli au lait en plongeant la casserole dans l'eau froide jusqu'à complet refroidissement.

● Votre lait ne tournera pas si vous prenez soin de lui ajouter avant de le mettre à bouillir une pincée de bicarbonate de soude.

● Il n'attachera pas si vous placez une petite assiette retournée dans la casserole.

LES BOISSONS

● Pour préparer un cocktail, versez toujours dans le shaker la boisson la moins alcoolisée en premier.

● Votre champagne se rafraîchira plus rapidement si vous le mettez dans un seau à glace rempli de glaçons et d'une bonne pincée de gros sel.

● Votre réfrigérateur est en panne; pour conserver vos bouteilles fraîches malgré tout, vous les envelopperez de torchons imbibés d'eau froide et les placerez dans des courants d'air.

● Pour personnaliser vos boissons et amuser les enfants, préparez des glaçons originaux en les colorant. Il suffit d'ajouter du sirop (menthe, grenadine, orange...) à l'eau des glaçons ou de déposer un petit fruit (fraise, framboise...) à l'intérieur de chaque compartiment à glaçons.

LES PÂTISSERIES, DESSERTS ET CRÈMES

BEIGNET

● Pour les rendre plus légers, ajoutez à leur pâte une grosse pincée de bicarbonate de soude.

BEURRE

● Pour le faire ramollir avant de l'employer dans un gâteau, coupez-le en petits morceaux que vous placez dans un bol ébouillanté. Écrasez avec une fourchette.

BLANCS EN NEIGE

● Avant de battre vos blancs en neige, passez rapidement le saladier sous l'eau froide. Une fois montés, ils n'adhéreront pas au plat et se détacheront tout seuls sans que vous en perdiez une miette.

● Vous n'avez besoin que des jaunes, n'ayez crainte, vos blancs se conserveront jusqu'à un mois dans une boîte hermétique au congélateur.

● Vos blancs en neige monteront plus rapidement et tiendront mieux si vous leur incorporez une pincée de bicarbonate de soude, de sel ou de sucre.

BRIOCHE, PETIT PAIN, CROISSANT

● Il vous reste quelques viennoiseries de la veille, un peu sèches malheureusement ; redonnez-leur saveur et fraîcheur en les enveloppant dans du papier sulfurisé humide puis en les passant au four.

CAKE

● Pour empêcher que les fruits secs ne tombent au fond du moule, les rouler dans la farine ou le sucre glace et les ajouter à la pâte au dernier moment.

CHANTILLY

● Pour réussir votre crème Chantilly, placez une heure avant le saladier dans lequel vous allez la faire au réfrigérateur et ajoutez à la crème fraîche un ou deux glaçons.

CRÈME ANGLAISE

● Pour être sûr de la réussir, ajoutez-y une cuillerée à café de Maïzena ou de fécule d'arrow-root.

● Si elle a tourné, versez-la aussitôt dans une bouteille que vous agiterez énergiquement, la crème retrouvera tout son velouté, ou bien fouettez-la au mixer.

● Vous saurez que votre crème anglaise est cuite lorsque la mousse qui se forme en surface durant la cuisson disparaît.

CRÈME FOUETTÉE

● Vous augmenterez le volume de votre crème fouettée et la rendrez plus légère en lui ajoutant un blanc d'œuf battu en neige.

CRÊPE

● Elles ne colleront plus à la poêle si vous ajoutez à la pâte 1 cuillerée à soupe d'huile ou de beurre fondu.

● Vos crêpes resteront chaudes si vous les empilez au fur et à mesure de leur préparation sur une assiette posée sur une casserole d'eau chaude et recouverte d'un saladier.

● Si votre pâte à crêpes a des grumeaux, passez-la dans une passoire et écrasez les grumeaux avec un pilon en bois.

● Pour huiler la poêle entre chaque crêpe, piquez une moitié de pomme de terre au bout d'une fourchette. Trempez-la dans l'huile et passez-la sur le fond de poêle. C'est efficace et économique.

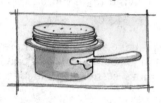

CUISSON DES GÂTEAUX

● Vos fonds de gâteaux ne brûleront plus si vous pensez à intercaler entre le moule et la plaque du four une couche de gros sel.

GÂTEAU

● Pour découper facilement un gâteau chaud, utilisez un couteau dont la lame aura été plongée préalablement dans l'eau bouillante.

● Vos gâteaux seront plus légers si vous remplacez la moitié de la farine par de la fécule de pomme de terre.

● Vous vérifierez la cuisson de vos gâteaux en enfonçant dans leur milieu une lame de couteau.
Si elle ressort sèche il est cuit, sinon continuez encore un peu la cuisson.

Gâteau roulé

● Pour que votre gâteau reste souple et se roule facilement, placez-le dès sa sortie du four sur une grille et recouvrez-le d'un torchon assez épais. Attendez qu'il refroidisse avant de le rouler.

Glaçage

● Pour que le glaçage au sucre n'adhère pas à la lame du couteau, plongez celui-ci dans l'eau bouillante.
Vous pourrez alors étendre le glaçage aisément sur le gâteau.

● Pour éviter que le glaçage ne pénètre dans le gâteau, vous enduirez le dessus du gâteau d'un mélange constitué d'une cuillerée à soupe de sucre et de 2 cuillerées à soupe de lait ou d'un peu de confiture et vous glacerez votre gâteau une fois refroidi.

Glace

● Pour former des boules de glace, plongez entre chaque boule votre cuillère à glace dans l'eau tiède.

Levure fraîche de boulanger

● Elle se conserve au réfrigérateur une semaine dans un petit sac en plastique assez lâche.

● Elle sera toujours plus efficace et votre pâte à pain montera mieux dans les endroits chauds sans courant d'air.

PÂTE

● Il vous faudra en cas de garniture ne nécessitant qu'une légère cuisson, précuire votre pâte ; pour cela, vous disposerez sur le fond de tarte une feuille de papier sulfurisé que vous recouvrirez de légumes secs afin qu'il reste bien plat pendant la cuisson.
Conservez ces légumes dans un bocal, ils vous serviront plusieurs fois.

PÂTE À FRIRE

● Elle sera plus légère si vous lui incorporez un blanc d'œuf battu en neige.

PUDDING

● Votre pudding a l'air parfait, mais vous n'arrivez pas à le démouler. Que faire ?
S'il est froid, trempez le moule dans l'eau chaude, s'il est chaud, trempez le moule dans l'eau froide.

RIZ AU LAIT

● Pour réussir le riz au lait, il faut le sucrer en fin de cuisson, sinon il resterait dur.

ROULEAU À PÂTISSERIE

● Vous le remplacerez sans difficulté par une bouteille.

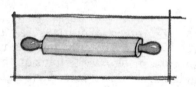

43

Sucre glace

● Pour obtenir du sucre glace, passez tout simplement votre sucre en poudre au mixer.

Sucre vanillé

● Délicieux mais cher, vous en fabriquerez un tout aussi bon en remplissant un bocal de sucre roux en poudre et de 5 gousses entières de vanille.
Remuez de temps en temps et commencez à utiliser 2 semaines après. Au fur et à mesure que vous prenez du sucre, rajoutez-en du nature. Les gousses devront être renouvelées tous les ans.

Tarte

● Pour que certaines garnitures (à base de fruits par exemple) ne ramollissent pas vos fonds de tarte, saupoudrez ces derniers de chapelure ou de semoule.

QUELQUES TRUCS EN PLUS

Tire-bouchon

● Vous êtes installés pour le pique-nique. Tout est parfait, si ce n'est que vous avez oublié le tire-bouchon !
Ne paniquez pas et enveloppez le culot de la bouteille dans un pull ou une veste et tapez par petits coups le fond de la bouteille sur un tronc d'arbre. Le bouchon sortira tout seul.

Gruyère

● Vous venez de retrouvez un morceau de gruyère oublié au fond du réfrigérateur. Pour le rendre à nouveau présentable, enveloppez-le dans un linge trempé dans du vin blanc et laissez-le ainsi quelques heures.

BÉCHAMEL

● Votre béchamel sera plus légère si vous lui ajoutez un blanc d'œuf battu en neige. Vous empêcherez qu'une peau ne se forme à la surface de votre béchamel en lui appliquant dessus du papier d'aluminium beurré.

PAPRIKA

● Pour retenir toute la saveur du paprika, le jeter dans l'huile ou la graisse chaude ; bien mélanger puis ajouter les autres ingrédients.

MOUTARDE

● En posant une rondelle de citron sur le pot entamé, vous éviterez que votre moutarde ne durcisse et ne sèche.

● Il ne vous reste qu'un fond de moutarde tout desséché ; pour le revigorer, ajoutez-lui un peu de vinaigre et de sucre.

THÉIÈRE

● Pour que la théière perde ce désagréable relent de moisi, videz-la, rincez-la à l'eau chaude et après l'avoir essuyée avec un linge propre et sec, déposez au fond du récipient un morceau de sucre. Celui-ci absorbera toute l'humidité empêchant la formation des fermentations et des moisissures.

FLAMBAGE

● Pour le réussir, bien se rappeler que l'alcool doit être chaud.

CHAPELURE

● Elle s'obtient tout simplement en passant au four des morceaux de pain rassis, puis en les concassant avec le rouleau à pâtisserie ou le mixer. Vous pouvez aussi la remplacer par de la semoule surtout sur les gratins.

FEUILLES DE BRIK

● Pour éviter que les feuilles de brik ne se brisent, posez les feuilles une par une sur un linge humide et farcissez-les.

FRITURE

● Pour ôter l'odeur persistante du poisson cuit dans votre huile de friture, ajoutez-lui 1 cuillerée à soupe de jus de citron.

CAFÉ

● Conservez votre café dans un bocal en verre au réfrigérateur.

● Ne donnez pas à votre café une mouture trop fine, vous libéreriez ainsi toute sa caféine sans obtenir plus de saveur.

● Vous accentuerez l'arôme de votre café moulu en enfonçant 2 grains de gros sel dans la poudre.

CHOCOLAT

● En dissolvant le chocolat dans du café très fort, vous exalterez encore sa saveur et incorporé dans crèmes, mousses ou entremets, il sera encore meilleur sans que l'on puisse déceler l'odeur de café.

● Vous fabriquerez vous-même vos copeaux de chocolat en faisant fondre une tablette (100 g) tout doucement dans une casserole avec 20 g de beurre.
Versez aussitôt dans un moule à tarte et laissez refroidir. Avec un couteau trempé dans l'eau chaude, vous raclerez le chocolat et obtiendrez de petits copeaux délicieux à étaler sur une tartine beurrée au goûter.

TRUFFE

● Pour faire une délicieuse omelette aux truffes sans truffes, placez pendant un ou deux jours vos œufs (avec la coquille) dans un bocal contenant une truffe...

BICARBONATE DE SOUDE

● Pour conserver à vos légumes verts (épinards, haricots, choux, petits pois...) leur belle couleur verte, additionnez à leur eau de cuisson une pincée de bicarbonate de soude par litre d'eau.

● Vos légumes secs cuiront plus rapidement si vous les avez laissé tremper toute la nuit dans de l'eau froide additionnée d'1 cuillerée à soupe de bicarbonate de soude pour un litre d'eau.

● Pour obtenir rapidement des blancs en neige ferme, il suffit de leur incorporer du bicarbonate de soude à raison d'une pointe de couteau par blanc d'œuf.

● Pour ôter toute acidité à certains fruits et légumes (tomates, oseille...) ajoutez leur une ou plusieurs pincées de bicarbonate de soude lors de leur préparation (sauce tomate, crème d'oseille, confiture d'orange, d'ananas...).

SEL

● Pour empêcher le sel de prendre l'humidité, quelques grains de riz dans la salière sont efficaces. Essayez aussi un morceau de papier buvard.

PÂTES

● Elles ne colleront plus à la cuisson si vous additionnez leur eau de cuisson d'une cuillerée à soupe d'huile.

RIZ

● Votre riz a cuit un peu trop longtemps, il colle. Placez-le dans une passoire et rincez-le sous l'eau froide. Versez-le alors dans un plat et mettez-le à four moyen 5 minutes.

Pour que le riz devienne très blanc et que ses grains se détachent facilement, ajoutez à l'eau de cuisson un jus de citron.

VIN BLANC

● Pour remplacer le vin blanc dans les sauces, un mélange à parts égales de vinaigre et d'eau et d'une pincée de sucre fera le même effet.

Sauce

● Votre sauce est trop épicée, ajoutez 1 cuillerée à soupe de lait ou de crème fraîche pour l'adoucir.

● Si elle est trop salée, mettez un sucre sur une cuillère, trempez dans la sauce quelques secondes le temps d'absorber l'excès de sel.

Four

● Votre four restera très propre si vous en tapissez le fond de papier d'aluminium.

Soufflé

● Pour qu'il se détache parfaitement de son moule après cuisson, beurrez-le puis saupoudrez le fond et les côtés de farine.

● Votre soufflé ne perdra pas tout son « gonflant » si vos invités sont en retard à condition de le recouvrir d'une feuille de papier d'aluminium.

Conserves

● Vous ôterez le goût de « boîte » de vos légumes en conserve en les faisant tremper quelques secondes dans une eau vinaigrée ou citronnée.

Olives

● Lorsqu'elles sont trop salées, laissez-les tremper 1/4 heure dans de l'eau bouillante.

CUISSON À L'EAU

● L'ébullition sera accélérée si vous ajoutez une pincée de gros sel au début de la cuisson.

POT

● Pas moyen d'ouvrir votre pot de confiture pour le petit déjeuner !
Retournez-le dans une casserole remplie d'eau bouillante et laissez-le tremper quelques minutes. L'ouverture se fera sans effort.

CUISSON AU BARBECUE

● Les braises resteront rouges plus longtemps et vos grillades dégageront moins de fumée lors de leur cuisson, si vous pensez à jeter une poignée de sel fin sur les braises dès qu'elles commencent à rougeoyer.

MIEL

● Pour liquéfier un miel durci, le faire chauffer doucement au bain-marie quelques minutes.

QUELQUES TERMES DE CUISINE LES PLUS COURANTS

ABAISSER

Étaler une pâte avec un rouleau à pâtisserie sur une épaisseur égale. La couche de pâte obtenue est nommée « l'abaisse ».

APPAREIL

Se dit du mélange de plusieurs ingrédients crus ou cuits destinés à une préparation : appareil à crêpes, à soufflé, à quiche.

BAIN-MARIE

Mode de cuisson utilisé pour les cuissons délicates nécessitant deux récipients de tailles différentes, l'un contenant la préparation à cuire ou à réchauffer sera posé dans le second (plus grand donc) rempli d'eau bouillante et en contact avec le feu.

BARDER

Recouvrir d'une tranche de lard gras (bande de lard) une viande ou un poisson pour éviter le dessèchement.

BLANCHIR

Précuire à l'eau bouillante certains aliments pendant quelques minutes.

BOUQUET GARNI

Bouquet composé de thym, laurier, persil ficelés ensemble. À retirer après la cuisson.

BRAISER

Cuire des aliments à feu doux et à couvert.

BRIDER

Ficeler les pattes et les ailes d'une volaille pour qu'elle conserve sa forme.

CHINOIS

Passoire à trous très fins de forme conique.

Court-bouillon

Eau de cuisson très épicée et arômatisée dans laquelle on met à cuire le poisson ou certains autres aliments afin de les parfumer ou de neutraliser un éventuel arrière-goût.

Débrider

Ôter d'une volaille les ficelles qui l'ont maintenue lors de la cuisson.

Décanter

Transvaser un liquide dans un autre récipient en prenant soin de le séparer des impuretés qu'il contenait au moyen d'une mousseline.

Couper en cubes

Couper en morceaux d'environ un centimètre de côté.

Couper en dés

Couper en morceaux d'environ 1/2 centimètre de côté.

Dégorger

Laisser tremper dans l'eau fraîche certains aliments pour les débarrasser du sang, d'un excès de sel, d'impuretés (viandes, abats, poissons) ou éliminer leur âcreté (légumes).

Dresser

Disposer le plus agréablement possible les mets sur les plats de service pour les rendre plus appétissants.

Ébarber

Supprimer avec des ciseaux les nageoires ou la queue des poissons.

ÉCUMER

Retirer au moyen de l'écumoire la mousse qui se forme à la surface d'un liquide.

ÉMINCER

Couper en tranches très minces viandes, légumes, poissons...

ESCALOPER

Couper en tranches fines.

FONCER

Garnir le fond d'un récipient avant la cuisson. Pâte à tarte, tranche de lard.

FONTAINE

Puits ménagé au milieu de la farine pour y recevoir les ingrédients suivants : œufs, lait, beurre...

GRATINER

Passer un plat au four pour qu'il prenne une belle croûte dorée.

JULIENNE

Façon de découper les légumes en fins bâtonnets.

LIER

Donner plus de consistance à une sauce ou une crème en y ajoutant farine, fécule ou œufs.

Macérer

Faire tremper certains aliments dans un liquide froid.

Mijoter

Laisser cuire très doucement et assez longtemps un aliment.

Mouiller

Ajouter un liquide pendant la cuisson à une préparation.

Napper

Recouvrir une préparation d'une couche de sauce, crème, gelée ou confiture.

Paner

Tremper un aliment à cuire dans l'œuf battu, puis dans la chapelure.

Pocher

Cuire un aliment dans un liquide à la limite de l'ébullition.

Réduire

Diminuer le volume en laissant la préparation s'évaporer sur le feu.

Revenir

Faire colorer les aliments dans un corps gras, à feu vif et à découvert.

CHAPITRE 2

L'ENTRETIEN AU QUOTIDIEN

VOTRE LINGE

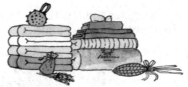

*POUR LUTTER
CONTRE LES TACHES*

● Pour éliminer les taches de rouille, passez sur le tissu en frottant de la pulpe de citron et repassez à fer chaud. Vous pouvez également essayer une solution d'acide oxalique (à 1 %), rincez aussitôt.

● Pour éliminer les taches de vin rouge sur un tissu, couvrez-les de sel fin, puis rincez à l'eau fraîche.

● Contre les taches de sucre, un simple lavage suffit ainsi que pour les taches de sang (eau froide).

● Pour éliminer les taches de graisse, les tamponner avec du tétrachlorure de carbone. Ou alors simplement les laver au savon, si elles viennent d'être faites.

● Pour éliminer les taches d'encre employez du jus de tomate.

● Pour éliminer les taches de moisissures, frottez les tissus ou les endroits tachés avec une tomate, mettez du sel et faites sécher au soleil.

Ou encore trempez votre linge dans du petit lait très chaud et rincez.

● Contre les taches de cambouis, utilisez de la benzine.

● Contre les taches de chocolat, lavez à l'eau froide ou dans un mélange d'eau savonneuse et trichlorétylène.

● Contre les taches de cirage, utilisez de l'essence de térébenthine.

● Contre les taches de colle, utilisez l'acétone bien que parfois l'eau tiède suffise.

● Contre les taches de fraises, trempez vos tissus dans de l'eau faiblement javellisée ou de l'eau boratée.

● Contre les taches de framboises, employez le jus de citron ou l'eau oxygénée.

● Contre les taches de jaune d'œuf, lavez à l'eau savonneuse tiède puis à l'eau oxygénée.

● Contre les coulures de cire, grattez tout d'abord pour éliminer un maximum de cire, puis repasser entre deux feuilles de papier absorbant puis laver normalement à l'eau savonneuse.

● Contre les taches d'huile, utilisez la térébenthine, l'éther ou l'alcool avant de laver à l'eau savonneuse.

● Contre les taches de peinture à l'eau, lavez simplement à l'eau savonneuse.

● Contre les taches de peinture à l'huile, nettoyez au white-spirit ou à l'essence de térébenthine.

● Contre les taches de vernis à ongles, utilisez l'acétone.

● Contre les taches d'urine, utilisez une solution ammoniacale faible.

● Contre les taches de nicotine, nettoyez avec de l'ammoniaque et de la glycérine.

● Contre les taches de dentifrice, mettre à tremper votre tissu dans une eau légèrement vinaigrée, puis laver normalement.

● Contre les taches d'herbes, frotter les endroits tachés avec de l'alcool à brûler avant de laver.

● Contre les taches de maquillage, appliquer avec

un tampon un peu de trichloréthylène. Laver ensuite à l'eau savonneuse.

● Contre les taches de papier carbone, là encore utiliser le trichloréthylène avant de laver.

● Contre les taches de résine, toujours l'essence de térébenthine. Laver ensuite. Si vos tissus sont très délicats, essayez l'alcool à 90°.

● Contre les taches de sparadrap, frotter les traces laissées avec de l'éther.

● Contre les taches de stylo à bille, frotter vos tissus avec de l'alcool à 90°. Pour les tissus synthétiques, utilisez l'alcool à brûler.

● Contre les taches de rouge à lèvres, frotter avec un tampon imbibé d'éther ou de trichloréthylène. Laver ensuite votre tissu normalement.

POUR RÉNOVER VOS TISSUS

● Pour laver du linge très fin (mousseline, tulle) sans le frotter, utilisez pour 15 litres d'eau :
15 g d'ammoniaque,
13 g de térébenthine,
340 g de savon de Marseille.
Faire fondre le savon dans l'eau froide puis porter à ébullition. Hors du feu, ajoutez ammoniaque et essence de térébenthine. Plongez aussitôt le linge dans ce liquide et le laisser tremper durant trois heures. Sortir le linge et le presser sans le frotter.

Rincer à l'eau tiède puis froide, jusqu'à éliminer toute solution lavante. Étendre à plat.

● Pour parfumer votre linge à la violette, à la lavande etc., faites-le bouillir en mettant dans un petit sac de toile des racines d'iris, des fleurs de lavande... Cette opération laisse au linge une douce odeur très apaisante.

● Pour raviver vos couleurs noires, faites une macération de feuilles de lierre pour deux litres d'eau. Laissez macérer 24 heures puis filtrez. Nettoyez vos étoffes noires avec ce mélange puis rincez.

● Pour éviter que vos vêtements en coton ne rétrécissent au lavage, les faire tremper préalablement pendant douze heures dans de l'eau froide légèrement salée.

● Pour rendre à votre linge toute sa blancheur, frottez-le avec des pommes de terre cuites à l'eau chaude. Rincez simplement.
Vous pouvez également ajouter à votre lessive une cuillerée à soupe d'essence de térébenthine.

● Pour redonner vie à vos dentelles (dentelles écrues), les laisser tremper dans du thé après lavage.

● Pour éviter que vos broderies ne déteignent et ne perdent leur couleur, les faire tremper dans une eau vinaigrée et salée. Les laver ensuite.

● Pour amidonner vos cols, conservez l'eau de cuisson de votre riz. Y ajouter un peu de sel, bien mélanger et tremper vos cols dans le mélange. Repasser avant que les tissus ne soient complètement secs entre deux serviettes douces.

● Pour redonner de la brillance à vos soies, les faire tremper après lavage dans de l'eau vinaigrée.

● Si vos chaussures ont des semelles glissantes, les frotter avec du papier de verre.

● Le meilleur des adoucissants reste le vinaigre. En ajouter à votre dernière eau de rinçage.

● Pour ravoir cols et poignets de chemises, les frotter avant de les mettre à la machine avec du savon.

● Pour empeser vos dentelles, trempez-les avant de les faire sécher, à plat, dans une eau très sucrée.

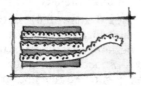

● Si vos pulls peluchent, éliminez ces petites boules inesthétiques avec un rasoir.

● Pour éviter que vos jeans ne perdent trop rapidement leur couleur, les mettre à tremper quelques heures dans de l'eau froide très salée.

L'ENTRETIEN DE VOS CADRES, TABLEAUX, GRAVURES ET AQUARELLES

De nombreuses matières entrent dans la confection des cadres : bois, métal, plastique, laque, dorure.

● Les cadres en métal seront simplement épousseté puis nettoyés avec une éponge et de l'eau légèrement vinaigrée.

● Pour les cadres en bois cirés, éliminez tout d'abord la poussière avec une brosse souple puis les cirer à l'essence de térébenthine. Faire briller avec un tissu de laine très propre.

● En ce qui concerne les cadres laqués, utilisez une eau légèrement savonneuse et une éponge très douce. Rincez à l'eau claire.

● Pour raviver vos cadres dorés, procédez avec minutie : enlevez toute poussière avec une brosse très souple. Ensuite nettoyez votre dorure, si elle est noire, avec de l'eau savonneuse.

● Contre les taches, battre deux blancs d'œuf et y incorporer petit à petit une cuillerée à café d'eau de Javel. Certaines personnes y ajoutent un peu de bière. À l'aide d'un gros pinceau, appliquez ce mélange sur le cadre, laissez sécher et frottez en douceur pour éliminer toute trace de mélange. Puis faire briller. S'il n'y a que peu de taches, procéder avec un tissu de laine très doux imbibé de vinaigre ou d'essence de térébenthine.

● Pour tenir les mouches éloignées de vos cadres dorés, les enduire d'une légère couche d'huile de laurier ou d'une infusion d'oignons (trois oignons coupés en rondelles mis à infuser dans 50 centilitres d'eau bouillante).

● Avant de suspendre vos cadres, pensez solidité; utilisez clous et pitons. Si vous désirez appliquer directement le cadre au mur, fixez le piton au milieu et en haut du cadre. Si vous préférez suspendre votre cadre par l'intermédiaire d'une corde, prévoyez deux pitons. Enfin souvenez-vous que plus vos pitons seront placés au milieu du cadre, plus forte sera l'inclinaison.

● Pour nettoyer vos peintures à l'huile, si elles ne sont pas de grande valeur, essuyez d'abord la poussière, puis lavez la peinture à l'eau pure avec une éponge très douce. L'eau savonneuse bien battue peut aussi être utilisée mais alors attention, procédez par petites surfaces et rincez aussitôt. Le savon attaque la peinture, alors méfiance!
Après avoir laissé sécher, passez une peau de chamois très propre. Vous pouvez également, lorsque votre tableau n'est pas vernis, passer au pinceau le mélange suivant: faire fondre 3 g de sucre dans 100 g d'eau-de-vie. L'incorporer à un blanc d'œuf battu. Nettoyer et finir avec une peau de chamois. Si votre tableau est vernis, nettoyez-le avec un oignon coupé en deux. Éliminez au fur et à mesure la partie salie.

● Pour dévernir un vieux tableau, il existe deux procédés:
a) Ôtez le tableau de son cadre et posez-le à plat sur une table. Étendre, sans frotter, sur toute sa surface de l'alcool à 36°. Laissez agir quelques minutes, puis avec une éponge très douce, lavez à l'eau pure.
Essuyez et séchez avec un tissu très fin ou une peau de chamois. Après plusieurs jours de séchage, vous pourrez revenir à votre tableau. Procédez toujours avec beaucoup de délicatesse.
b) Prenez de la résine en poudre. Ce produit très fin sera déposé de place en place sur votre toile et vous procéderez en frottant très légèrement, petite surface

63

après petite surface. Le vernis ancien va s'écailler et tomber en poussière. Pour terminer, passez sur toute la surface de votre tableau un chiffon doux imprégné d'essence de térébenthine. Vous pouvez également essayer l'eau de vie pour dévernir votre tableau avec néanmoins beaucoup moins de chances de réussir.

Pour revernir votre tableau, veillez à ce que celui-ci soit totalement sec. Choisissez une brosse souple et passez votre vernis toujours dans le même sens en une couche égale. Ne repassez jamais sur une partie venant d'être revernie. Il existe de nombreuses marques de vernis en magasins spécialisés, mais vous pouvez préparer vous-même le vôtre en mélangeant au bain-marie : 250 g d'essence de térébenthine, 125 g de gomme copal tendre et 10 g de camphre. Tournez de temps en temps de façon à ce que le mélange soit parfaitement homogène. Laissez reposer 48 heures avant de revernir votre tableau avec une brosse très souple.

● Pour réparer une toile déchirée, vous devez vous armer d'un peu de patience et faire jouer votre côté minutieux.

En premier lieu, désencadrez votre toile, dévernissez-la et au moyen d'un rasoir, ébarbez la déchirure de façon à ce qu'elle soit franche. Séchez bien votre toile et posez-la à plat sur une table. Avec une brosse, badigeonnez de colle tout le pourtour de la déchirure et au-delà. Y appliquer un morceau de calicot lui-même enduit de colle. Posez une planchette sur le calicot puis un poids. Laissez sécher ainsi pendant 24 heures. Retirez poids et planchette en vous aidant au besoin d'un cutter. Retournez votre toile et masquez les dernières traces en dissimulant votre réparation sous des retouches de peinture données dans le même sens que les coups de pinceau sur la toile.

● Conservez précieusement vos anciennes gravures et n'hésitez pas à les rajeunir. Voici deux méthodes pour éliminer toutes les piqûres rouillées qui viennent l'enlaidir.

a) Préparez dans un bac photo une solution composée de 1/3 d'eau oxygénée pour 2/3 d'eau. Y ajouter quelques gouttes d'ammoniaque. Trempez-y votre gravure et laissez-la baigner ainsi pendant 30 minutes. Sur une table bien plane, étaler une grande feuille de buvard. Y étendre délicatement votre gravure et laisser à moitié sécher. Recouvrir la gravure d'une seconde feuille de buvard.

Recouvrir d'une planchette au format de la gravure sur laquelle vous placerez un poids de façon à ce que la gravure puisse sécher sans se déformer.

b) Sur une plaque de verre, étalez votre gravure et la recouvrir d'une bonne couche de sel. Faites couler lentement du jus de citron de façon à ce que le sel en soit bien imprégné. Au bout de deux heures, faites doucement couler de l'eau sur votre gravure de façon à éliminer le sel. Faire sécher entre deux feuilles de buvard.

Si votre gravure est gondolée, la désencadrer et la poser sur une table, dessin tourné vers le bois.

Avec une éponge mouillée, humidifier le dos de la gravure et retourner celle-ci pour que la face sèche soit exposée à l'air. Fixer à la table avec des punaises et attendre que celle-ci soit totalement sèche.

Vous pouvez également procéder en la mouillant complètement puis en la faisant sécher entre deux feuilles de buvard soumises à l'action d'un poids.

● Pour éviter que vos aquarelles ne perdent leurs teintes, traitez-les ainsi : appliquez à l'intérieur de la vitre (face contre l'aquarelle) une solution de sulfate de quinine (1 volume pour 20 volumes d'eau). Replacez votre aquarelle après séchage. Surtout ne pas essuyer.

● Pour rendre les couleurs de vos aquarelles totalement inaltérables, voici une seconde méthode. Faire fondre de la cire blanche vierge au bain-marie. Y tremper un tampon de soie blanche de façon à recouvrir totalement l'aquarelle. Parallèlement, préparez de l'encaustique avec 30 g d'essence de térébenthine et 18 g de cire blanche vierge.

Laissez la cire fondre à froid dans l'essence. Étendre cette crème blanche avec votre index en procédant avec légèreté. Laissez sécher votre gravure pendant une semaine avant de la coller sur un carton fort dont les bords auront été recouverts eux aussi de cire blanche.

Encadrez votre aquarelle de façon à ce que la peinture ne touche la vitre.

Bien isoler votre aquarelle de la poussière en collant au dos des bandes de papier sur l'espace entre cadre et aquarelle.

L'ENTRETIEN DES CHAUSSURES

● Pour trouver chaussure à votre pied, veillez à ce que vos chaussures soient légèrement plus longues que votre pied (de 15 à 20 mm), exception faite des chaussures à bouts pointus.

● Avant de choisir une chaussure, vérifiez l'empeigne. Elle ne doit en aucun cas former une crête rugueuse risquant de vous blesser.

● Essayez vos chaussures neuves le soir, quand le pied est congestionné.

● Pour assouplir vos chaussures, faire bouillir de l'eau et les maintenir au-dessus de la vapeur.

● Pour casser vos chaussures et éviter qu'elles ne vous fassent souffrir, portez-les d'abord chez vous avec de grosses chaussettes.

● Pour mettre vos chaussures, utilisez un chausse-pied ainsi vous ne déformerez pas le quartier de vos souliers.

● Pour nettoyer vos chaussures boueuses, surtout n'appliquez aucun produit. Raclez toute la boue sur la barre des semelles et les semelles au moyen d'un coupe-papier. Terminez avec une brosse à poils durs de façon à éliminer toute poussière.
Si vos cuirs sont encore humides, les frapper vigoureusement avec un chiffon en laine avant de les cirer.

● Voici une formule de cirage noir, vous éviterez ainsi d'appliquer n'importe quoi sur vos chaussures. Mettez à chauffer au bain-marie 50 g de cire, 20 g d'huile d'olive, 20 g de noir d'os calcinés. Retirez ensuite du feu et ajoutez 30 g d'essence de térébenthine.

Remuez jusqu'à ce que le mélange soit froid. Versez dans des boîtes en métal.

● Lorsque vous cirez vos chaussures, versez sur la brosse quelques gouttes de vernis et vous verrez vos chaussures briller davantage.

● Si vos chaussures en cuir sont mouillées, les enduire d'huile de lin ou les remplir d'avoine préalablement chauffée. En absorbant l'humidité, l'avoine gonfle et empêche la déformation des chaussures.

● Pour imperméabiliser les semelles en cuir de vos chaussures, procurez-vous du vernis à tableau et à l'aide d'un pinceau, enduisez vos semelles. Une fois sec, recommencez l'opération de façon à ce que tous les pores du cuir soient bouchés.

● Pour imperméabiliser vos chaussures en cuir, les enduire d'huile de lin légèrement tiédie ou appliquer l'une des recettes données ci-dessous :

a) faire fondre au bain-marie : 150 g d'huile de lin, 50 g de suif, 10 g de cire jaune et 15 g d'essence de térébenthine. Appliquer à chaud.

b) faire fondre 50 centilitres d'huile siccative, 35 g de cire jaune, 35 g d'essence de térébenthine et 10 g de poix de Bourgogne. Bien frotter vos chaussures et recommencer plusieurs fois.

● Pour éliminer les taches de vos chaussures, utilisez du pétrole ou une eau savonneuse légèrement ammoniaquée.

L'ENTRETIEN DES MÉTAUX

L'ACIER

● Pour nettoyer l'acier, prendre de la cendre de bois et l'humecter avec de l'huile. Frottez vos couteaux, fourchettes, fers à repasser... puis rincez et essuyez. Vous pourrez également utiliser du sable fin mais attention aux rayures. Quant aux taches de rouille, elles partiront avec un mélange de fleur de soufre et de tripoli (1/3 pour 2/3).

L'ALUMINIUM

● Utilisez pour nettoyer l'aluminium, soit du sable fin, soit de la coquille d'œuf pulvérisée.

● Pour lui donner son brillant, le frotter avec un mélange d'huile et d'alcool à 90°.

L'ARGENTERIE

● Pour nettoyer vos couverts en argent, les placer dans une casserole d'eau bouillante dans laquelle vous aurez au préalable déposé une feuille de papier d'aluminium.

● Pour que votre argenterie retrouve tous ses feux, lavez vos objets à l'eau savonneuse et rincez-les à l'eau vinaigrée ou citronnée. Bien les sécher.

● Si vos objets en argent sont tachés, les plonger dans du vinaigre bouillant. Les rincer puis les essuyer avec un chiffon doux. Vous pouvez aussi les frotter avec de la fécule de pomme de terre.

● Vos bijoux et chaînes en argent retrouveront tout leur brillant en les nettoyant avec une pâte composée de : 40 g de tartre, 40 g de blanc de Paris, 20 g d'alun.

● Pour redonner de la patine à vos objets en argent, les passer rapidement à l'eau de Javel. Nettoyez-les ensuite, car ils auront noirci, avec une pâte à polir.

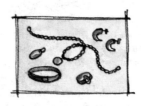

LE BRONZE

● Pour redonner au bronze son poli, le frotter avec un tissu de laine imbibé d'essence rectifiée. Vous pouvez également :

a) Frotter vos bronzes avec un chiffon imbibé d'eau citronnée ;

b) Les frotter ou les plonger dans une eau savonneuse chaude et légèrement ammoniaquée.

Après les avoir rincés, toujours sécher vos bronzes avec un chiffon de flanelle.

● Si vos bronzes patinés sont tachés, vous ferez disparaître ces taches avec une flanelle imbibée d'essence de térébenthine ou d'alcool à brûler. Les frotter ensuite avec un chiffon de laine imbibé de vaseline ou plus simplement d'huile.

● Vos bronzes dorés demandent un peu plus de persévérance. Les nettoyer avec du vin bouillant puis rincer. Les sécher sans frotter. Vous pourrez également utiliser une eau chaude à laquelle vous aurez ajouté un peu de carbonate de soude.

● Si vos bronzes sont oxydés, les brosser avec un mélange à parts égales de vinaigre, d'ammoniaque et d'eau. Après rinçage, bien les essuyer.

LE CHROME

● Frotter vos chromes avec tout simplement de la farine ou de la fécule de pomme de terre. Les protéger de la rouille en passant dessus un chiffon imbibé de glycérine.

LE CUIVRE

● Pour nettoyer vos cuivres, mélangez un blanc d'œuf avec un peu d'eau de Javel, passez le mélange au pinceau. Frottez et essuyez.

● Vous pouvez également les frotter avec un oignon coupé en deux ou avec un mélange de sel fin et de vinaigre d'alcool.

● Vos cuivres sont oxydés, alors faites bouillir du vinaigre d'alcool avec du sel et placez-les dans ce mélange. Bien les frotter ensuite.

● Pour vos cuivres ciselés, surtout n'utilisez pas les pâtes du commerce.

Munissez-vous d'une brosse trempée dans du jus de citron. Frottez, rincez avant de bien sécher.

● Pour patiner vos cuivres, plongez-les dans de l'eau de cuisson de champignons, puis bien les essuyer.

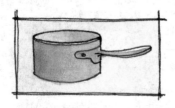

L'ÉTAIN

● Le nettoyage des étains se fera avec de la poudre de grès déposée sur des feuilles de choux. Frottez vos objets avec ces feuilles de choux toujours dans le même sens. Lavez ensuite les objets puis les frotter avec une tête de poireau ébarbée.

Lavez à nouveau puis essuyez avec un tissu très doux. Vous pourrez également nettoyer vos étains avec un chiffon imbibé de pétrole.

● Pour leur redonner beaucoup de brillance, les frotter avec de la bière chaude. Bien les sécher avec un tissu très doux. Vous pouvez également les frotter avec un mélange de craie et d'huile d'olive. Bien essuyer et faire briller.

● Afin d'éliminer les taches de vos étains, les frotter avec du blanc d'Espagne. Rincez et séchez.

● Pour bien nettoyer vos étains anciens, les frotter avec un bouchon de liège ou des feuilles d'oseille avant de les faire briller avec une peau de chamois.

L'INOX

● Tout simplement, nettoyez vos éviers et casseroles avec de l'eau savonneuse. Rincez et essuyez avec une peau de chamois pour éviter les taches d'eau.

RÉNOVER VOS TAPIS, MOQUETTES, PARQUETS...

LES TAPIS

● Pour nettoyer vos tapis, les mettre à plat dehors et bien les brosser avec le mélange suivant : mélangez dans 10 litres d'eau, 125 g de savon blanc, un demi-verre à bordeaux d'ammoniaque et un de térébenthine. La brosse doit en être largement imbibée.

Rincez votre tapis à l'eau et le faire sécher. Une fois sec, le brosser dans le sens du poil.

● Pour raviver les couleurs, dépoussiérez totalement votre tapis, puis le frotter avec une éponge imbibée d'eau ammoniaquée (1 cuillerée à soupe pour un litre). Essayez également de le frotter avec un demi chou blanc.

● Pour éliminer les taches d'encre, placez aussitôt sur la tache un papier buvard puis du lait. Frottez énergiquement et épongez avec une éponge propre. Rincez et faites sécher.

● Si les mites affectionnent votre tapis, l'asperger avec du tétrachlorure.

LES MOQUETTES

● Le plus simple moyen de nettoyer votre moquette est de passer l'aspirateur mais toujours dans le sens du poil.

● Pour éliminer les traces laissées par chaises, tabourets, fauteuils ou meubles, positionnez votre fer à repasser sur vapeur, puis dirigez le jet sur les marques. La moquette va doucement reprendre sa forme primordiale.

● Pour éliminer les taches de colle, utilisez un tampon de chiffon imbibé d'acétone.

● Pour les taches de cambouis, recouvrir la tache de beurre. Laissez agir une nuit, puis raclez beurre/cambouis le lendemain matin. Ensuite nettoyez au tétrachlorure. Bien frotter avec un linge propre.

● Contre les traces de boue, effectuez tout d'abord un brossage profond puis avec un tampon de chiffon imbibé d'eau vinaigrée, frottez les taches. Rincez et faites sécher. Effectuez un nouveau brossage.

LES PARQUETS

● Pour les nettoyer, les brosser tout d'abord à l'eau chaude savonneuse, épongez puis les rincer deux fois à l'eau claire. Terminez par un dernier rinçage à l'eau légèrement javellisée. Enfin, les encaustiquer en choisissant une des recettes ci-dessous :

a) Faire fondre 600 g de cire jaune dans 50 centilitres d'eau bouillante. Lorsque la cire a totalement fondue, remuez énergiquement en ajoutant encore 50 centilitres d'eau et 125 g de potasse.

b) Faire fondre à froid 250 g de cire dans 50 centilitres d'essence de térébenthine.

c) Au bain-marie, mélangez 500 g de cire jaune, 50 g de savon mou, 50 g de carbonate de potasse, 30 g d'alcool à 90° et 50 centilitres d'eau.

Avant d'encaustiquer vos parquets, prenez soin d'enlever toutes les taches. Pour enlever les taches de graisse, recouvrez-les de pétrole.

● Contre les taches d'encre, les frotter énergiquement à l'acide oxalique ou au jus de citron. Terminez avec un léger ponçage.

● Pour éliminer les taches d'huile, un vieux remède consiste à recouvrir les taches de terre de pipe délayée dans du vinaigre. Laissez agir un à deux jours et lavez à l'eau chaude. Recommencez l'opération si nécessaire. Une recette plus simple consiste à tamponner la tache avec un peu de trichloréthylène. Lavez ensuite à l'eau chaude savonneuse. Rincez.

● Pour vos parquets vernis, contentez-vous de passer de temps en temps, après avoir éliminé toute poussière, de l'huile de cèdre. Vous pourrez une fois par an le laver à l'eau savonneuse. Bien rincer avant de sécher.

LES LINOLÉUMS

● Pour l'entretenir, le cirer légèrement lorsqu'il est neuf. Dès qu'il commence à perdre de sa fraîcheur, le laver puis bien le sécher. Ensuite, badigeonnez-le à l'huile de lin. Laissez reposer votre linoléum pendant 24 heures puis bien frotter avec un chiffon de laine. Ce traitement aura l'avantage d'éliminer les bosses apparues au fil du temps.

● Pour faire disparaître les taches noires, utilisez un chiffon imbibé d'éther.

● Contre les traces laissées par les chaussures, pieds de table ou de chaise, contentez-vous de gommer.

● Pour redonner à votre linoléum l'aspect du neuf, bien battre deux jaunes d'œuf dans un litre d'eau. Appliquer au chiffon doux.

LES DALLAGES

● Les sols extérieurs en pierre seront dans un premier temps balayés puis lavés à l'eau savonneuse chaude. Rincez à grande eau légèrement javellisée.

● Pour les sols en ciment, utilisez une eau à laquelle vous aurez mélangé de la poudre à récurer. Frottez avec un balai brosse puis rincez.

● Pour les carrelages et terres cuites, utilisez une eau savonneuse. Brossez, rincez et séchez. Ensuite, passez avec un chiffon de l'huile de lin.

● Les marbres, quant à eux, seront lavés au savon noir, bien rincés à l'eau légèrement javellisée, puis essuyés avec une peau de chamois.

ENTRETIEN DES MEUBLES EN BOIS

● Pour éliminer les taches d'eau sur les bois cirés, prenez un bouchon de liège et frottez la tache en un mouvement circulaire. Si la tache est importante, frottez-la avec un tissu imbibé d'huile de lin.

● Contre les taches d'huile, étalez sur les taches de l'essence de térébenthine et saupoudrez de talc ou de terre à foulon. Chauffez doucement talc ou terre. Essuyez avec un chiffon et encaustiquez.

● Les taches de peinture s'enlèveront avec de l'essence de térébenthine.

● Pour se débarrasser des taches de bougie, les faire dissoudre à l'eau chaude. Passez dessus un peu de cire blanche fondue dans un peu d'huile. Appliquez sur la tache et frottez avec un chiffon.

● Contre les taches d'humidité sur les meubles

vernis, contentez-vous d'approcher des taches une assiette très chaude.

● Contre les taches de liqueur ou de sirop, utilisez de l'eau tiède.

● Avant d'encaustiquer vos meubles, pensez toujours à les essuyer avec un chiffon doux imbibé de vinaigre.

● Pour l'entretien de vos meubles en bois sculpté, utilisez une brosse très souple afin d'éliminer toute la poussière, puis passez une couche d'encaustique très légère afin de ne pas encrasser les sculptures.

● Pour vos meubles laqués, passez un tissu très doux imbibé d'eau savonneuse. Ils redeviendront comme neufs.

● Les laqués d'Orient seront eux nettoyés avec un tampon imprégné d'un mélange de farine et d'huile de lin. Attention, ils n'aiment pas l'eau. Terminez avec un chiffon sec.

● Pour teinter un meuble en bois blanc avec des teintes à l'eau, y ajouter un peu d'ammoniaque.

● Si vous désirez accentuer la blancheur de vos meubles en bois, frottez-les avec l'eau de cuisson de vos pommes de terre.

● Pour traiter une table en bois blanc sans dénaturer son aspect, la frotter avec un mélange d'huile de lin et d'essence de térébenthine.

● Si vous désirez nettoyer un meuble ciré, utilisez un chiffon imbibé d'essence de térébenthine avant de passer une nouvelle couche fine d'encaustique.

CHAPITRE 3

BRICOLER DE LA CAVE AU GRENIER

VOS OUTILS

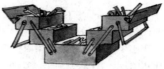

Un matériel de base est nécessaire pour faire face aux petites réparations indispensables à votre bien-être.

UNE BOÎTE À OUTILS

● Elle vous permettra de déplacer très rapidement les outils dont vous avez besoin. Choisissez-la en fer, ainsi elle ne craindra pas les coups.
Vous pouvez également vous bricoler une caisse adaptée à vos besoins, de préférence en bois avec des casiers amovibles.

LE MARTEAU

● Le premier des outils doit être d'un poids proportionné à votre force. Table (surface de frappe) et panne (partie biseautée) seront polies et en acier trempé. Trop lourd, votre marteau sera difficile à manier, trop léger il deviendra totalement inutile.
Éviter que la tête ne branle sur le manche. Pour éviter de vous taper sur les doigts en voulant planter un clou, enduisez la table de cire, le clou y restera collé.
Mieux encore, le marteau magnétique.

CLOUS, VIS...

● Ayez toujours à portée de main un choix important de clous ou de vis :
Pitons ou clous à crochet : pour suspendre.
Pointes longues : pour assembler des planches, charpentes...
Pointes courtes ou semences : à utiliser pour tendre des tissus.

À tête d'homme : la tête n'est indiquée que par un petit renflement. Elles seront choisies lorsque la tête de la pointe doit rester invisible.

● Suivant le travail que vous aurez à réaliser, sachez qu'il existe des clous à bois, à tête fraisée, à tête ronde ou plate, des clous cuivrés, galvanisés en laiton, en alliage léger ou en acier spécial. Les clous sont bien souvent vendus au poids ou en sachets sur lesquels figurent le diamètre et la longueur. Ainsi des clous 40 × 100 auront 4 millimètres de diamètre et 10 centimètres de longueur.

● En ce qui concerne les vis, vous les trouverez soit à tête plate (la vis affleure alors la surface du matériau vissé) ou ronde avec comme intermédiaire la vis goutte de suif. Les vis sont en cuivre, fer et métal léger. Prévoir un choix de chevilles adaptées à vos vis.

LES TOURNEVIS

● Soit à lame soit cruciforme, le tournevis doit être adapté à la tête de la vis. Trop fin, vous risquez de l'abîmer. Les meilleurs sont en chrome vanadium. N'hésitez pas à en acheter de toutes dimensions.

LA TENAILLE

● Elle sert à couper, tenir, saisir, retirer et tendre. Choisir une tenaille de préférence en acier forgé (les autres s'émoussent) et à longues branches.

LA MULTIPRISE

● La pince multiposition ou polygrip rend de grands services, principalement en plomberie puisqu'elle permettra de travailler sur tuyaux et robinetteries de tous diamètres. La clé multiprise facilite le blocage des écrous.

LA SCIE

● Une scie universelle à lames amovibles en acier et à poignée réglable fera l'affaire ; elle vous permettra de scier non seulement le bois, mais également certains métaux, les matières plastiques, le plâtre, le Fibrociment, le béton cellulaire et le caoutchouc.

RÂPES ET LIMES

● La râpe à l'inverse de la lime est destinée uniquement au bois et se compose d'une partie plate et d'une partie bombée. La lime, quant à elle, se compose de deux faces plates dont une face avec dentures croisées. Attention aux clous, ils endommagent irrémédiablement les dents des râpes et des limes.

LA CHIGNOLE

● Inutile d'acquérir une perceuse électrique. Dans bon nombre de cas, une chignole à main et un choix assez grand de mèches seront largement suffisants pour mener à bien vos travaux.

LE MÈTRE

● Un double mètre en bois, plastique ou métal. Nous préférons ce dernier car il ne se casse pas. Le mètre ruban est d'un emploi plus difficile surtout lorsque vous travaillez seul.

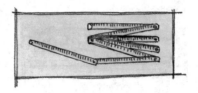

LA SPATULE

● Prévoir une spatule large et une plus étroite. Vous serez surpris des possibilités de cet outil que l'on considère souvent comme secondaire, notamment si vous avez à refaire vos peintures ou tapisseries.

LES PINCEAUX

● En choisir plusieurs modèles. Il n'y a rien de plus désagréable que de procéder aux finitions au moyen d'un pinceau non adapté. En fin de travail, toujours les nettoyer au white spirit ou à l'essence de térébenthine. S'ils ont séché, les passer au décapant ou les faire tremper dans du vinaigre bouillant.

 RÉPARER VOS MEUBLES

Avant tout apprenez à reconnaître les bois.

● **Bouleau :** bois dont la teinte peut aller de blanc jaune au gris rouge. À utiliser en intérieur uniquement. Idéal si vous désirez sculpter sur bois ou travailler au tour.

● **Frêne :** bois dur allant du jaune au marron. Comme le bouleau, il ne supporte pas l'humidité. Très utilisé pour les manches d'outils et comme placage.

● **Chêne :** à n'utiliser que le cœur, bois dur et élastique de couleur brune. Le chêne est employé aussi bien en extérieur (éléments de construction) qu'en intérieur (meubles, placages).

● **Hêtre :** il se reconnaît à sa couleur rouge. Bois dur à utiliser essentiellement en intérieur pour la confection de table ou la réparation de meubles.

● **Tilleul :** une fois sec, ce bois jaune rouge ne travaille plus. Éviter pourtant de l'utiliser en extérieur. Idéal pour la sculpture.

● **Pin :** tendre au cœur jaune rouge, le pin est à utiliser dans la fabrication de nombreux meubles et comme bois de charpente.

● **Noyer :** brun plus ou moins foncé, le noyer fait partie des bois précieux. Dur et très résistant, il s'utilise principalement pour la confection de meubles. Souvent employé comme placage.

● Dès l'apparition de la moindre fissure dans vos meubles, y introduire de la cire fondue. Pour cela, utilisez la recette ci-dessous.

Faire fondre dans une casserole, au bain-marie, 100 g de gomme laque et 10 g de résine ordinaire pulvérisée. Incorporer 5 g de poix de Bourgogne. Ajouter alors le colorant désiré.

Faire refroidir le mélange et l'amincir en fines petites baguettes.

Les appuyer et les faire pénétrer dans la fente. Approcher de la fente un fer électrique chauffé au maximum ou un fer à souder de façon à ce que le mélange fonde et pénètre correctement dans la fente. Lisser la surface. Vernir et encaustiquer.

● En cas de choc sur un meuble verni, appliquer un chiffon trempé dans de l'eau bouillante. Posez ensuite sur la meurtrissure un papier d'emballage plié en quatre et trempé également dans de l'eau bouillante.

Appliquer ensuite un fer à repasser très chaud sur le papier jusqu'à complète évaporation. Recommencer l'opération s'il reste encore une trace.

● Le vernis ayant terni avec la chaleur, voici une recette très simple qui redonnera à votre meuble son éclat.

Ajouter à un litre d'essence de térébenthine, 90 g de cire jaune râpée et 20 g de gomme laque en écaille. Laisser fondre et bien mélanger. Appliquer au pinceau puis après séchage faire briller avec un chiffon en laine.

● Pour bien caler vos armoires, utiliser des cales taillées en biseau afin d'obtenir une horizontalité correcte en les insérant plus ou moins.

Si une cale dépasse, y tracer la bonne dimension, la retirer et la scier.

ENTRETENIR VOS PARQUETS

● Les fentes des vieux parquets sont souvent inesthétiques et deviennent très vite des nids à poussière. Préparez alors une sorte de mastic en faisant fondre au bain-marie 150 g de cire jaune, 90 g de résine pulvérisée et 20 g de suif.

Y ajouter 90 g de blanc d'Espagne. Ajouter un colorant de teinte identique à votre parquet. Après avoir bien nettoyé les fentes, y couler le mélange. Laisser sécher et bien aplanir avec un fer à souder.

● Pour retrouver l'odeur des encaustiques d'antan, mélangez à chaud un demi-litre d'eau, 50 g de savon mou, 50 g de carbonate de potasse, 30 cl d'alcool à 90° et 500 g de cire jaune.

● Pour vos parquets de chêne, faites simplement fondre 250 g de cire dans un demi-litre d'essence de térébenthine. Vos parquets brilleront de mille feux.

CHANGER UNE VITRE

● Retirez tout d'abord le battant de la fenêtre ou la porte de ses gonds et la poser sur deux tréteaux. Éliminez les restes de verre, le mastic et les pointes. Si le mastic est très dur, utilisez un poinçon.

Faites tailler vos vitres en prévoyant un jeu de 2 millimètres. Avant de placer votre vitre, faites de petits boudins de mastic que vous appliquerez dans la feuillure. Placez votre vitre en appuyant pour bien la fixer.

Enfoncez ensuite tous les 15 centimètres de petites pointes, puis finir de combler la feuillure avec du mastic. Étendez et égalisez avec un couteau à mastic ou une pomme de terre coupée en deux.

Pour éviter que votre mastic ne se dessèche, l'emballer dans du papier d'aluminium ou dans un flacon bien bouché dans lequel vous aurez versé un peu d'eau ou d'huile de paraffine.

RÉPARER UNE FISSURE

● À l'aide de votre grattoir, bien nettoyer la fissure et l'agrandir légèrement. L'humecter largement et la boucher avec du plâtre ou de l'enduit. Bien égaliser avec votre truelle puis poncer avec un papier de verre fin.

LE CARRELAGE ET LES REVÊTEMENTS

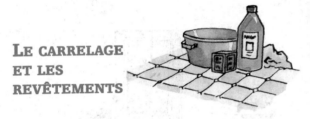

● Que vous choisissiez des dalles ou du carrelage, vous agrémenterez de façon notable votre appartement ou maison. Avec un peu d'adresse, vous deviendrez vite un expert en matière de pose. Dalles ou carrelages se posent sur une chape. Toujours commencer de chaque côté de l'axe médian de votre pièce. Les coupes se feront au niveau des bordures. Bien vérifier avec un niveau l'horizontalité.

● Pour la pose de carreaux muraux, prévoyez un fil à plomb (pour la verticalité) et un niveau (pour l'horizontalité). Étalez la colle au moyen d'une spatule rainurée et prévoyez des allumettes afin d'avoir toujours le même espacement entre les carreaux.

● Pour le nettoyage de vos carrelages, utilisez le savon noir (1 cuillerée à soupe pour un litre d'eau). Lavez et rincez. Passez ensuite deux couches d'huile de lin. Pour le marbre et les sols en pierre, le savon noir est là encore recommandé.

● Pour les sols en terre cuite, détachez avec du vinaigre bouillant, puis lavez à l'eau savonneuse.

L'ENTRETIEN DE VOS PORTES

● Si une de vos portes grince, poncez les gonds après les avoir enduit de pétrole. Huilez ensuite légèrement pour éviter toute coulure. Si vous n'avez pas d'huile, frottez gonds et pommelles avec un crayon mine de plomb très tendre.

● Si votre porte frotte par terre, évitez de la raboter. Démontez la porte et intercalez entre les pièces de chaque gond une rondelle de cuivre.

L'ENTRETIEN DE VOS FENÊTRES

● Vos fenêtres ont besoin d'une nouvelle couche de peinture ? Les dégonder et les poser à plat sur des tréteaux. Les nettoyer avec, par exemple, du liquide vaisselle, puis les décaper. Pour cela utilisez un décapeur thermique en évitant bien sûr de brûler le bois.

Terminez avec un décapant de façon à éliminer toute trace de peinture. N'hésitez pas à utiliser la brosse métallique. Traitez ensuite vos fenêtres. Il existe actuellement des produits non toxiques (pour vous) mais très efficaces.

Choisissez ensuite une laque glycérophtalique en ayant toujours à la mémoire que les teintes claires sont moins sensibles au soleil. Laissez bien sécher avant de replacer vos fenêtres.

● Si elles ne joignent pas parfaitement, couler un joint de silicone dans la feuillure avant de fermer vos fenêtres.

● Si vous désirez nettoyer vos fenêtres, évitez les jours de grand soleil. Les encadrements sont nettoyés avec du vinaigre ou de l'alcool à brûler. Pour les vitres, utilisez de l'eau ammoniacale (vous éviterez ainsi les traces de doigts).

● Pour éviter le givre sur les vitres, les essuyer avec un chiffon humecté d'eau glycérinée (60 g de glycérine par litre d'eau).

● Si vous n'avez pas de double vitrage, vous trouverez dans le commerce des feuilles de plastique à fixer vous-même et qui auront le même résultat.

CHANGER VOS PAPIERS PEINTS

Avant de poser vos nouveaux papiers peints, décoller les anciens, vous vous éviterez ainsi bien des surprises. Pour ce faire, et à moins de louer une décolleuse, bien mouiller les anciens papiers. Laisser agir quelques minutes, puis décoller de haut en bas. Ensuite poncer légèrement les murs de façon à éliminer toute trace de l'ancien papier. Enfin procéder par étapes :

- Pour un meilleur rendu, appliquez sur les murs un papier d'apprêt.

- Ôtez prises et interrupteurs avant de tapisser. Vous les replacerez ensuite.

- Veillez à la température de votre pièce. 18° est idéal pour bien tapisser.

- Si vous préférez économiser, pensez à mouiller vos plâtres avant d'appliquer votre papier.

- Toujours commencer par le plafond en vous aidant d'un balai pour bien appliquer le papier.

- En ce qui concerne les murs, tapissez toujours en partant des fenêtres, vous éviterez ainsi les ombres.

- Pour couper la base et le haut d'un lé, utilisez une longue règle en métal et un cutter. Ensuite, pour bien terminer le travail, collez une frise sur tout le pourtour de la pièce.

- Pour éliminer les taches de colle, utilisez simplement un chiffon propre. Si la colle est sèche, un chiffon humide fera l'affaire. Évitez de frotter.

- Pour faire disparaître les éventuelles cloques, les piquer avec une épingle et passer dessus un fer tiède. Appliquez préalablement un tissu sur le papier ; si les cloques sont importantes, faites une incision en croix et réencollez.

- Pour éliminer les traces de doigts, frottez doucement avec de la mie de pain.

- Bien nettoyer brosses, pinceaux et récipients à l'eau.

- Toujours conserver les chutes afin de pallier d'éventuels raccords.

PEINDRE OU REPEINDRE SON APPARTEMENT

Avant toute chose, préparez votre matériel : rouleau à peinture, brosse plate de toutes largeurs, pinceaux ronds, grattoir, couteau à reboucher et palette à enduire (pour colmater les fissures), essence de térébenthine et plat de nettoyage. Préparez vos murs, comblez les fissures, lessivez les anciennes peintures et poncez-les légèrement.

Isolez vos boiseries au moyen de papier spécial adhésif. L'enlever lorsque la peinture est hors poussière. Si vous ne disposez pas de papier adhésif pour protéger vos vitres, vous pouvez passer sur celles-ci un oignon coupé en deux, de la glycérine ou du blanc d'Espagne. Moins facile à utiliser, la spatule que l'on plaque contre le joint de la vitre.

● Commencez toujours à peindre les murs en commençant par le haut. Les plafonds seront quant à eux, commencés par les côtés recevant les ouvertures.

● Pour peindre les moulures, entourez les poils du pinceau avec un élastique de façon à conserver au trait une largeur égale.

● Si vous avez à peindre un plafond, évitez les coulures en prenant une demi-balle de tennis et en faisant passer en son centre le manche du pinceau. Cette coupelle recueillera la peinture susceptible de couler.

● Pour éliminer les taches de peinture sur du bois, utilisez une bombe pour nettoyer votre four et vaporisez. Après quelques minutes, faites disparaître la tache avec un chiffon.

● Sur les vitres, il suffit de les gratter avec une lame de rasoir.

● Sur les tissus, les taches disparaîtront avec un peu d'essence de térébenthine.

● Pour éviter les coulures de votre pot sur le sol, placez-le sur une assiette en carton.

● Si vous êtes incommodé par l'odeur de votre peinture, ajoutez à celle-ci avant de peindre, quelques gouttes d'extrait de vanille (ou tout autre extrait) ou disposez dans la pièce une coupelle remplie d'argile ou de mie de pain.

● Pour éviter de voir des insectes se coller sur votre peinture fraîche, y ajouter quelques gouttes d'huile camphrée. Ils s'en éloignent rapidement.

● En fin de travail, transvasez votre reste de peinture dans un pot plus petit.

Si vous désirez filtrer votre peinture, utilisez un bas en nylon.

● Rangez vos pots entamés en les retournant. À l'ouverture, vous n'aurez pas cette peau toujours désagréable et difficile à éliminer.

LA PEINTURE AU PISTOLET

Si vous décidez de peindre au pistolet, prenez quelques précautions :

● Bien nettoyer et balayer la pièce où vous allez travailler. Dans le cas contraire, toutes les poussières environnantes se colleront sur la peinture.

● Protégez tous les objets environnants.

● Évitez les courants d'air; prévoir néanmoins une bonne aération.

● Faites des pauses fréquentes afin de ne pas surcharger l'air ambiant de particules de peinture.

● Protégez vos voies respiratoires avec un masque adapté.

● Protégez vos cheveux avec un capuchon en plastique; mettez un vieux pantalon, une blouse, un foulard et des gants.

● Protégez votre visage en y appliquant une crème grasse.

● Bien préparer les ouvrages à peindre en protégeant avec du papier adhésif les parties ne devant pas recevoir de peinture.

● Diluez votre peinture de façon à ce qu'elle soit plus fluide. Utilisez pour cela un viscosimètre.

● Vérifiez votre pression, pas assez élevée, la peinture formera des gouttelettes; trop élevée, vous obtiendrez des coulures. Celles-ci peuvent également provenir d'une peinture trop liquide.

● Le pistolet doit toujours rester à la même distance du support. Ce n'est pas le poignet qui bouge mais le bras.

L'ÉLECTRICITÉ

Un appareillage mini-
mum sera le bienvenu :
un tournevis, une pince
long-nez indispensable pour dévisser les écrous, une
pince à dénuder les fils (aucun risque alors de couper
le fil), un fer à souder, une lampe témoin, un marteau
d'électricien, une pince universelle. Cet outillage
acquis, vous pouvez tout réaliser.

LE DÉNUDAGE DES FILS

● Pour tout raccordement ou épissure, vous devez
dénuder vos fils. Pour cela utilisez une pince spéciale
à dénuder. Réglez l'écartement des mâchoires en
fonction de la grosseur du fil. Placez le fil entre la
mâchoire, serrez et tirez en faisant tourner la pince.
Torsader ensuite les fils.

POUR RÉALISER UNE ÉPISSURE CORRECTE

● Prévoir de dénuder vos fils de façon à réaliser dix
spires consécutives. Isolez avec du chatterton.

MONTAGE D'UNE DOUILLE

● Une douille se compose de plusieurs parties. Passez d'abord vos fils dénudés dans la rondelle, puis
dans le chapeau. Vissez les deux noix sur les fils, puis
vissez la bague principale d'assemblage.
La bague secondaire sert,
quant à elle, à fixer l'abat-
jour ou le lustre. Préférez
les douilles en laiton, elles
sont moins fragiles que
celles en plastique.

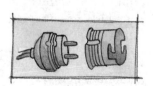

LES INCIDENTS ET LEURS RISQUES

Il en existe quatre principaux.

● En cas de surcharge, il y a danger car échauffement. Le disjoncteur doit couper le contact et il est indispensable de débrancher un appareil.

● En cas de coupure sans aucune cause, aucun danger n'est à craindre et le circuit peut être à nouveau fermé.

● En cas de destruction de l'isolant, il est possible d'être électrocuté à moins d'une mise à la terre correcte. Couper le courant et procéder à la réparation.

● En cas de court circuit, il y a danger là encore car échauffement exagéré. Le disjoncteur doit couper le courant et la réparation doit être faite dans les meilleurs délais.

QUELQUES PETITS TRUCS POUR BIEN BRICOLER

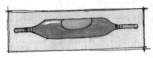

● Pour nettoyer vos disques à poncer encrassés par de la peinture, les faire tremper dans un peu d'essence.

● Si vous n'avez pas de niveau, utilisez une ampoule (médicament) pleine.

● Pour enfoncer facilement un clou dans le plâtre, le tremper quelques instants dans de l'eau bouillante.

● Pour éliminer l'odeur de moisi dans une maison, remplir un récipient de chaux vive.

● Si vous avez une remise à construire, sur une terre humide, montez les quatre premières rangées de moellons ou de pierres avec un mortier fait de chaux et de sang de vache (à la place de l'eau). Votre cabanon sera alors hors d'eau.

96

● Pour passer plus facilement vos fils électriques dans une gaine, les savonner préalablement avec du savon sec.

● Pour déboucher votre lavabo, si vous n'avez pas de soude, introduire dans le siphon un câble de frein de vélo ou une tringle souple à rideau (fil de fer torsadé).

● Les poutres en bois apportent beaucoup de chaleur, aussi n'hésitez pas à les décaper. Utilisez un décapeur thermique puis avec une brosse métallique. Terminez au papier de verre de plus en plus fin. Pour leur conserver leur aspect rustique, laissez les anfractuosités et les petits défauts de surface. Pour accroître leur brillance, frottez-les avec un chiffon imbibé de vinaigre avant de les cirer.

● Si un soir vous avez une fuite à un robinet, en attendant le lendemain pour la réparation et éviter le bruit, souvent insupportable, du goutte à goutte, attachez une ficelle à la tête du robinet, les gouttes couleront le long de la ficelle.

● Si vous n'avez pas de cintreur, vous pourrez couder vos tubes en cuivre en les remplissant de sable. Aucun risque alors de les aplatir.

● Pour rendre brillants vos carrelages blancs, passez dessus de la colle de peau fondue dans de l'eau chaude additionnée de blanc d'Espagne pulvérisé.

● Pour rendre brillants vos carrelages rouges, passez le même mélange mais en remplaçant le blanc d'Espagne par de l'ocre rouge en poudre. Après séchage complet, passez par-dessus une encaustique spéciale dont voici la composition : dans de l'eau bouillante, faire fondre une noix de carbonate de soude et autant de savon de Marseille. Une fois fondu, ajoutez quatre noix de cire jaune. Quand le mélange est totalement refroidi l'appliquer avec un linge propre. Laissez sécher puis faites briller avec un chiffon de laine.

CHAPITRE 4

AU JARDIN, LÉGUMES ET PLANTES

UN OUTILLAGE DE BASE ADAPTÉ

Il doit vous permettre à la fois un travail moins pénible et plus performant. En outre, il ne doit pas être trop coûteux. Tout jardinier se doit de posséder :

● Un matériel d'arrosage (arrosoir, arroseur automatique).

● Un matériel de lutte contre maladies et parasites (poudreuse manuelle, pulvérisateur).

● Si possible un motoculteur.

● Des outils appropriés et certains accessoires : une bêche à dent, un crac, une griffe, un sarcloir, une binette, une grelinette, un râteau, un plantoir, une fourche, une pelle, une houe, une batte, un transplantoir, un semoir, une gouge à asperges, un sécateur, un buttoir, une brouette et des gants. Avant toute chose, pensez à suivre un calendrier de manière à ne rien oublier tout au long de l'année ; vous pouvez par exemple vous servir de celui-ci établi mois par mois et semaine après semaine.

LE CALENDRIER

JANVIER

● Blanchir les pissenlits
● Trier les pommes de terre
● Semer les navets

- Semer les céleris
- Planter l'ail (éviter de planter l'ail deux années de suite au même endroit)
- Planter les oignons jaunes

Février

- Semer la chicorée
- Planter les choux pommés
- Tailler pêchers, abricotiers et autres arbres fruitiers
- Tailler les framboisiers
- Semer épinards, carottes, laitues

Mars

- Planter les racines
- Planter les vivaces
- Semer les poireaux
- Planter les griffes d'asperges
- Semer les choux-fleurs

Avril

- Planter les arbres
- Semer cardons, courges, melons, pastèques
- Semer pissenlits et pourpiers
- Semer les haricots
- Marcotter les groseilles
- Ébourgeonner les pêchers

Mai

- Planter les pommes de terre
- Semer les haricots verts et les laitues
- Supprimer les rejets de framboisier
- Semer les navets, les brocolis

Juin

- Semer les carottes
- Butter les céleris

- Repiquer les fraisiers, les brocolis, les choux de Bruxelles
- Récolter fèves et poireaux

Juillet

- Ramer les cornichons
- Récolter les pommes de terre
- Mettre en place les choux pommés
- Semer les choux de Chine et la roquette
- Récolter l'ail
- Semer cerfeuil, aneth et persil

Août

- Tailler les poiriers
- Semer les navets d'hiver, les oignons blancs, les pissenlits et les pois
- Planter les pommes de terre hâtives
- Blanchir la chicorée frisée
- Ébourgeonner les tomates

Septembre

- Tailler les noyers
- Greffer les pruniers
- Blanchir les cardons
- Planter les laitues d'hiver
- Semer le cerfeuil
- Repiquer sous châssis les salades
- Blanchir les pieds de céleris

Octobre

- Commencer à tailler les arbres fruitiers
- Nettoyer les arbres
- Semer ail blanc, asperges, cerfeuil, choux-fleurs, épinards, laitues, pois nains
- Récolter salsifis et scorsonères

- Semer la mâche
- Repiquer sous tunnel vos salades
- Récolter les coings
- Récolter les haricots secs

Novembre

- Planter les kiwis
- Bêcher la vigne
- Planter les arbres fruitiers
- Ramasser les derniers fruits sur les arbres, même ceux qui ont séchés
- Repiquer les dernières laitues
- Semer les épinards précoces

Décembre

- Rabattre les cassissiers
- Tailler les arbres à pépins et les cerisiers
- Procéder au repiquage des choux et des laitues

PETITS TRUCS DE BONNES CULTURES ET UNE BONNE CONSERVATION

- La rotation des cultures favorisera la pousse de vos légumes. Faites une rotation sur trois ans : la première année, cultivez artichauts, poireaux et choux ; la seconde année, ail, échalotes, oignons, navets et carottes ; la troisième année, pois, haricots et fèves.

● Pour empêcher les pommes de terre de germer, placez sous celles-ci une couche de charbon et une par dessus. Mettez également parmi vos pommes de terre quelques pommes.

● Pour éviter que vos laitues ne montent en graines trop rapidement, repiquez les jeunes plants une première fois en pépinière, en ayant soin de couper la racine pivot. Lors du repiquage, prenez chaque plant avec sa motte en le plantant peu profond.

● Pour conserver pommes et raisins. Les premières seront disposées sur des claies, queue en l'air.
Veillez à ce qu'aucune pomme ne se touche. Vous pouvez aussi les frotter avec de la glycérine puis avec un chiffon et de la paraffine.
En ce qui concerne les raisins, les suspendre à un fil tendu. Ils se dessécheront lentement et vous pourrez consommer un excellent raisin à Noël.

● Pour conserver bien frais votre basilic, le plonger dans un bain d'huile d'olive. Pendant tout l'hiver, vous pourrez ainsi profiter de son arôme dans vos recettes.

● Pour obtenir de gros oignons, nouez le haut de la tige, vous favoriserez ainsi la concentration de la sève dans le bulbe.

● Pour conserver vos poireaux, creusez un trou (abrité) dans votre jardin et sans couper les racines, placez-les dans le trou en les recouvrant en partie de terre.

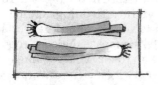

● Pour empêcher les fruits que vous avez stockés sur claies, pour l'hiver, de subir l'assaut des insectes ou aux champignons de se développer, placez entre les fruits quelques gousses d'ail coupées en deux.

● Pour obtenir très vite des radis, trempez vos graines dans de l'eau pendant deux jours, puis les suspendre dans un sac en toile au soleil.
Vos graines vont germer. Les semer et les couvrir d'un film plastique. En trois ou quatre jours, vous aurez votre récolte.

● Pour obtenir quatre récoltes de pommes de terre chaque année, plantez des pommes de terre hâtives en février, en les couvrant bien sûr pour éviter le gel, et vous récolterez en avril.
Replanter aussitôt pour récolter en juin. En juillet, plantez pour récolter en septembre, puis replantez à nouveau pour une récolte hivernale. Ceci n'est valable que pour les régions tempérées, bien entendu.

● Pour éliminer les ronces du jardin, coupez les tiges au pied de la plante et mettez-y une poignée de sel. Les ronces mourront définitivement.

● Pour détruire les orties de façon écologique, plantez au milieu quelques pommes de terre.

● Voici un désherbant non toxique et facile à préparer. Arrosez vos mauvaises herbes avec l'eau de cuisson de vos pommes de terre.

● Pour éviter d'avoir recours aux engrais chimiques, en voici un fantastique. Mélangez à 100 litres d'eau dans un grand fût, 10 kilogrammes de fiente de poules, canards ou autre animal, et 1 kilogramme de sulfate de fer concassé. Laissez reposer, mélangez à nouveau et arrosez vos légumes une fois par semaine avec cet engrais liquide, sans toutefois en mettre sur les feuilles. Vous pouvez également tester cette recette : 100 litres d'eau, 10 kilogrammes de sang séché et 1,500 kilogramme de sulfate de fer.

● Pour protéger vos oignons du ver, étendre sur le sol, avant les semis, du gros sel à raison de 500 g pour 25 m².

● Pour stimuler la pousse de vos navets, roulez avant semis les graines dans du soufre. N'oubliez pas que les navets ne sont jamais repiqués.

● Pour supprimer les mauvaises herbes, voici un autre désherbant. Le premier jour, arrosez simplement vos herbes, le lendemain, arrosez-les avec une eau javellisée. Les herbes une fois jaunes pourront être facilement éliminées.

● Pour vos arbres fruitiers, utilisez la cendre de bois comme engrais à raison de 1 kilogramme par mètre carré.

● Pour augmenter le temps de production de vos blettes, épinards, oseille ou persil, pensez à ne prélever que les feuilles du tour. Laissez au cœur le temps de se développer.

● Lorsque vous plantez un arbre, évitez qu'il ne s'enfonce en plaçant une grosse pierre juste sous le tronc et dans son axe. Les racines seront étalées en couronne.

● Pour récolter de gros choux de Bruxelles, éliminez le bourgeon terminal lorsque le chou a atteint sa taille définitive. Les petits choux grossiront alors.

● N'hésitez pas à utiliser les engrais verts, ils améliorent grandement les sols en favorisant leur perméabilité à l'eau et à l'air. Les racines de vos plantations pourront alors s'enfoncer plus profondément dans le sol.

● Pour éviter en été une évaporation trop importante, répandez sur le sol et autour de vos plants, de la paille.

● Conservez facilement vos carottes et autres tubercules en les plaçant entre deux couches de sable sec.

● Pour augmenter le rendement de vos fruitiers, promenez sous vos arbres en mars une botte de paille allumée. La fumée emporte le pollen favorisant ainsi la pollinisation.

● Pour protéger vos semis des insectes, plantez en plusieurs endroits des bâtons d'une hauteur de 1,25 mètre. En haut, placez une coquille d'œuf de poule. Surprenant mais efficace.

● Pour favoriser la fructification chez les arbres ayant tendance à produire surtout des feuilles, faire un petit fossé autour du tronc et couper quelques racines. Remplir ce fossé avec un compost et reboucher.

● Pour dynamiser vos plants de tomates, enterrez aux pieds de ceux-ci quelques feuilles et tiges d'ortie.

● Toujours pour stimuler la pousse de vos plants de tomates, n'oubliez pas lors de la plantation d'enterrer 8 centimètres de la tige en la couchant. Le plant reprendra sa verticalité grâce au tuteur. De nombreuses racines se développeront à partir de la tige enfouie.

● Pour permettre à vos choux-fleurs de repartir, ne coupez pas complètement la tête. Laissez un petit bouquet en place.

● Pour protéger la tomate et la pomme de terre du mildiou, utilisez une infusion d'ail à raison de trois têtes d'ail pour un litre d'eau.

● Semez au pied des arbres des capucines, vous éviterez ainsi les pucerons.

● Pour lutter contre la mouche de la tomate, utilisez une infusion d'œillet d'Inde.

● Contre la rouille, le chancre, le mildiou, l'oïdium, utilisez une décoction de prêle : 200 g de plante sèche mise à bouillir pendant une heure dans 20 litres d'eau.

La décoction de prêle sera utilisée avec succès comme fertilisant.

● Pour éviter la piéride du chou, piquez entre vos plants des branches de thuya.

● Pour faciliter la germination de vos graines, les mélanger avant semis à du marc de café. Ce dernier les protégera également contre les insectes. Vous pouvez également les laisser tremper douze heures dans de l'eau tiède vinaigrée.

● N'arrosez jamais en plein soleil. Attendez la fin d'après-midi.

● Pour augmenter la saveur sucrée de vos melons, mélangez à l'eau d'arrosage et ceci seulement deux fois dans la saison, un peu de sulfate de magnésium.

● Pour éviter le ver du poireau, mélanger à vos graines avant semis des grains de poivre.

● Pour supprimer la pourriture des pieds de melon, saupoudrez trois jours de suite les pieds avec de la chaux vive.

● Lors de vos plantations, n'oubliez pas de tremper les racines de vos divers plants dans une bouillie argileuse.

● Pour conserver vos châtaignes pendant quelques mois, faites tremper votre récolte douze heures dans de l'eau. Les faire sécher au grand air puis les enfouir dans du sable.

● Pour éviter d'être envahi par les chenilles, suspendre dans vos arbres des morceaux de pulls en laine. Les chenilles viendront y faire leur nid. Les brûler lorsqu'ils en sont saturés.

LES BONNES ASSOCIATIONS

Associer les plantes présente un avantage certain car elles se stimulent l'une l'autre dans leur croissance et éloignent d'elles de nombreux parasites, elles privilégient l'utilisation des sols, permettent un gain de place (plantes à croissance rapide associée à une plante à croissance lente).

Voici quelques exemples d'associations efficaces : carottes/oignons, carottes/radis, carottes/poireaux, haricots/concombres, tomates/oignons, céleris/ choux-fleurs, oignons/concombres, fèves/pommes de terre, haricots/betteraves, betteraves/fraises.

CULTIVER AVEC LA LUNE

● Lors de la pleine lune : semer les choux, salades, épinards, oseille et ail, oignons, échalotes, c'est-à-dire les plantes feuilles et les plantes bulbes. Récolter toutes graines, bulbes, racines, destinés à la prochaine récolte.

● Lors de la nouvelle lune : ne rien faire, laisser le jardin se reposer.

● Lors du premier quartier : semer haricots, fèves, tomates, aubergines, poivrons, courgettes, artichauts et les fleurs.

● Lors du dernier quartier : profitez-en pour mettre de l'engrais et traitez (écologiquement s'entend) votre jardin. Semez les carottes, navets, panais, betteraves, c'est-à-dire les racines.

● Pendant la lune descendante, vous pourrez tailler vos arbres fruitiers, votre vigne, vos rosiers etc.

Récoltez également tous les légumes racines et tubercules que vous désirez conserver.

FLEURS ET PLANTES

Il en est des fleurs et des plantes comme des légumes, évitez de faire n'importe quoi n'importe quand.

● Au printemps, pensez à rempoter toutes vos plantes.

● N'oubliez pas d'épousseter une fois par mois toutes vos plantes d'intérieur ou de nettoyer leurs feuilles au moyen d'une éponge humide.

● Éliminez les feuilles jaunies de vos plantes dès qu'elles apparaissent.

● Pour faire refleurir une azalée, prévoir un pot plus grand avec une terre souple. Lorsque les feuilles se fanent, les supprimer et couper légèrement le bout des rameaux. Les maintenir à une température de 8-12°.

● Maintenez votre azalée dans une terre humide si vous désirez une bonne floraison.

● Pour prolonger la vie de vos anémones, mettre dans l'eau un morceau de charbon de bois.

● Vous désirez un bel amaryllis, choisissez un gros bulbe et le placer dans un pot d'à peu près 18 centimètres. Seule la moitié du bulbe doit être enterrée. Pour le faire refleurir l'année d'après, couper la hampe florale et continuer de l'arroser et de le nourrir. Au début de l'été, le ranger au sec dans un endroit frais couché sur le côté. Vous le ressortirez à l'automne.

● Vous pouvez à partir des ananas que vous achetez obtenir une très belle plante. Pour cela, coupez le sommet feuillu de l'ananas. Éliminez toute la chair puis laissez sécher avant de planter en pot.

● Pour éviter une dessiccation trop rapide de la terre de vos pots, étendre une couche d'écorce de pin broyée à la surface. La terre conservera alors toute son humidité.

● Pour obtenir une plante à partir de vos noyaux d'avocat, piquez dans ceux-ci trois cure-dents à leur base. Les placer sur un verre rempli d'eau. Lorsque les racines apparaissent, planter en pots.

● Pour tailler votre glycine, rappelez-vous que la glycine de Chine s'enroule de gauche à droite. La tailler au printemps après la floraison et juste au-dessus des nouvelles pousses. Quant aux autres variétés, elles s'enroulent de droite à gauche. Les tailler en fin d'hiver au-dessus de la couronne.

● Pour conserver vos bouquets plus longtemps, placez la base des tiges dans de l'eau bouillante. Coupez ensuite les bouts de tige et replacez vos fleurs dans de l'eau fraîche. Vous pouvez y ajouter 3 à 4 gouttes d'eau de Javel ; vous pouvez aussi tremper chaque tige dans un peu de miel.

● Avant tout rempotage, n'oubliez pas de laisser tremper vos pots neufs dans une eau javellisée. Ceci évitera au pot de pomper l'eau de la terre et en plus ils seront désinfectés.

● Pour conserver aux branches les feuilles que vous cueillerez, faites une incision à la base des rameaux, puis trempez-les dans un mélange composé de 30 % de glycérine pour 70 % d'eau. Laissez les rameaux s'imprégner de ce mélange pendant dix jours. Vos branches ne perdront plus leurs feuilles.

● Lorsque vous choisirez vos plantes à bulbes, pensez à les choisir de façon à obtenir des fleurs sur plusieurs mois.

● N'oubliez pas de n'arroser que rarement vos cactus. Dans le cas contraire, ils risquent de pourrir.

● Plantez vos rosiers à l'automne. Arrosez-les avec vos restes de thé. Lors de la taille, ayez à portée de main un récipient avec une eau fortement javellisée de façon à tremper les lames de votre sécateur après chaque coupe. Vous éviterez ainsi la propagation de toute maladie.

● En été, paillez vos rosiers ou recouvrez le sol d'écorce de pin broyée afin de conserver à la terre son humidité.

● Pour éviter les pucerons, plantez des fèves parmi vos rosiers. Lorsqu'elles en sont pleines, les arracher et les brûler.

● Dès la récolte de votre lavande, faites sécher à l'ombre vos bouquets. Placez-les ensuite dans vos armoires, vous aurez ainsi un excellent antimites.

● Pour conserver votre mimosa, mettre dans le vase de l'eau chaude plutôt que froide.

● Pour profiter au maximum de vos pétunias, coupez vos plants à ras de terre après la floraison. Vos pétunias repousseront en quelques jours.

● Pour éliminer un lierre beaucoup trop encombrant, l'arroser avec un lait de chaux très concentré.

● Pour conserver vos oignons fleurs, les placer dans des boîtes à œufs dont vous aurez préalablement percé le fond de chaque emplacement.

● Pour changer facilement une plante de pot, mettez celle-ci (avec son pot) dans le pot plus grand. Comblez le vide avec du terreau, puis retirez la plante. Dépotez-la et rempotez-la en la plaçant dans l'espace libre, ajoutez le terreau nécessaire et tassez.

● Le lilas se fane très vite. Pour le conserver plus longtemps, écrasez la base de chaque tige avec un marteau avant de les placer dans un vase.

● Pour activer la pousse de vos plantes, et en même temps les protéger des insectes, arrosez-les avec de l'eau de suie. Mettre de la suie dans un sac ou dans un bas et mettre à tremper dans un récipient rempli d'eau. Laisser macérer deux semaines puis arrosez vos plantes.

● Pour connaître la couleur de vos œillets, examinez les racines de la plante. Si elles sont rouges, vous aurez des œillets... rouges bien sûr ! Et ainsi de suite !

● Pour confectionner un pot-pourri, effeuillez et faites sécher toutes les fleurs que vous avez choisies. Dans un bocal, mettez une poignée de sel bien sec. Versez vos pétales dans le bocal en y ajoutant du thym, de la sauge, de la noix de muscade, de la cannelle, du clou de girofle, de la menthe etc. Remuez chaque jour le bocal et placez-le pendant un mois au soleil. Ensuite, dès l'automne, secouez-le une fois par semaine. Ajoutez-y enfin quelques gouttes de l'huile essentielle que vous avez choisie et de la poudre d'iris pour fixer les parfums. Votre pot-pourri est prêt.

● Pour avoir des plantes à fleurs plus grosses et plus belles, mettez à leur pied un peu de magnésie.

● Pour obtenir des hortensias d'un beau bleu, mettez-leur au pied de la poudre d'ardoise.

● Pour multiplier philodendrons et lauriers roses, rien de plus simple. Coupez un rameau sain et plongez-le pendant quelques semaines dans l'eau. Les racines apparaîtront alors. Il ne vous reste plus qu'à le planter.

● Pour faire une mini serre à vos plantes naissantes, prenez une bouteille en verre et versez dedans 5 centimètres d'eau glacée. Trempez une ficelle dans de l'alcool à brûler et attachez-la autour de la bouteille au niveau de l'eau. Mettre le feu à la ficelle et bientôt vous verrez le verre se fendre au niveau de l'eau. Recouvrez vos jeunes plants avec cette bouteille sans fond.

● Pour éliminer les vers présents dans la terre de vos pots de fleurs, les arroser avec une eau dans laquelle vous aurez versé un peu de farine de moutarde.

● Pour profiter de vos coquelicots, brûlez dès le ramassage la base de leur tige.

● Avant d'arracher les bulbes de vos glaïeuls, attendre que le feuillage commence à jaunir.

● N'oubliez pas d'apporter un peu d'engrais toutes les deux semaines à vos dahlias.

● Pour conserver très longtemps vos coloquintes, les faire sécher puis les vernir.

CHAPITRE 5

LA BEAUTÉ
AU NATUREL

Nos grand-mères n'achetaient pas leurs produits de beauté. Elles les fabriquaient au moyen d'éléments simples qu'elles trouvaient le plus souvent dans la nature et leur cuisine. L'eau de pluie tenait une place importante mais nous devrons nous en passer à cause de la pollution. Par contre, les plantes, fruits, légumes et autres ingrédients tels que le lait, fromage blanc, argile, miel... sont à notre disposition pour embellir notre peau. Celle-ci est un de nos plus précieux atouts-beauté et nous devons en prendre soin. La peau est un organe vivant aux fonctions multiples (élimination, protection, innervation, régulation thermique) qui constitue une barrière entre l'intérieur de notre organisme et l'extérieur.

En mauvais état de santé, elle ne peut assurer ces différents rôles et sa texture et son aspect s'en ressentent.

Elle devient terne, molle, perd son éclat et son tonus.

Inversement, si notre corps est malade, l'état de notre peau est lui aussi déficient.

Car la beauté ne tient pas seulement à des soins externes, ceux-ci doivent s'accompagner d'une alimentation saine et équilibrée, de la pratique d'un sport, d'un mental positif, d'un sommeil régulier et suffisant, de principes de vie saine. L'élimination de certains facteurs comme le tabac, l'alcool, le stress s'avère également indispensable.

Ensuite seulement, des pratiques élémentaires d'hygiène et de propreté, ainsi que des soins de beauté proprement dits seront à pratiquer pour obtenir enfin une peau ferme, douce, satinée, éclatante et des cheveux brillants, souples et toniques.

Ce chapitre va vous aider à y arriver en vous apportant une foule de recettes, de conseils pratiques et de techniques héritées de nos grand-mères.

Les soins de beauté du visage

Ils consistent en un démaquillage rigoureux matin et soir au moyen d'un lait de toilette et d'une lotion, suivi de l'application d'une crème de jour ou de nuit ou d'une huile de beauté, en cures si votre peau est vraiment très fatiguée. Toutes les semaines ou tous les quinze jours, votre peau aura besoin d'un nettoyage en profondeur et pour cela vous aurez recours au masque et au bain de vapeur du visage.

Les laits démaquillants ou de beauté

● Pas besoin de les acheter, il existe tous les ingrédients dans votre cuisine pour les préparer : lait cru, blanc d'œuf, jaune d'œuf, huile d'olive ou de noisette ou d'amande douce, crème fraîche. L'eau de rose vivifiante et astringente convient également fort bien comme démaquillant surtout pour les peaux grasses. Pour la préparer, portez à ébullition 1/4 litre d'eau de source, ôtez du feu et incorporez une poignée de pétales de rose ; laissez infuser une vingtaine de minutes, filtrez et conservez en bouteilles de verre.

● Démaquillant pour les yeux : un mélange d'huiles d'amande douce et de ricin à parts égales sera parfait pour cet usage ; de plus il favorisera la pousse de vos cils.

Les lotions

Vous en obtiendrez d'excellentes en faisant infuser la fleur de votre choix dans l'eau bouillante 15 minutes. Les plantes les mieux adaptées sont la rose, le bleuet, le coquelicot, la lavande, le souci, l'hamamélis, la camomille.

122

● Lotion tonique (toutes peaux) :
le zeste d'un citron
une pincée de romarin
une pincée de thym
2 cuillerées à soupe de menthe fraîche
4 cuillerées à soupe de pétales de rose
1 pointe de cannelle
2 g de teinture de benjoin
Faites macérer tous les ingrédients une semaine dans
de l'eau de source ; filtrez et mettez en bouteilles.

Les crèmes

Un peu plus délicates à réaliser, nous vous donnons
une formule de crème de jour et une de nuit dans les-
quelles vous pourrez en fonction de votre peau modi-
fier plantes et huiles essentielles.

● Crème de jour :
50 g de cire blanche
50 g de beurre de cacao
100 g d'huile au choix
2 cuillerées à soupe d'eau florale ou d'infusion (rose,
hamamélis, thym, romarin)
5 gouttes d'huile essentielle d'ylang-ylang
Faites fondre au bain-marie la cire, le beurre de cacao
et l'huile.

Bien mélanger, ôtez du feu et ajoutez l'eau florale et
l'huile essentielle.

● Crème de nuit :
30 g de lanoline
40 g de beurre de karité
1 cuillerée à soupe d'huile d'onagre
50 g d'huile de jojoba
3 gouttes de teinture de benjoin
8 gouttes d'huile essentielle de verveine

Faites fondre au bain-marie le beurre de karité, la lanoline et leur ajouter les huiles hors du feu en remuant soigneusement. Incorporez la teinture de benjoin et l'huile essentielle.

LES HUILES DE BEAUTÉ

Elles s'obtiennent en laissant macérer dans des huiles végétales certaines plantes et en leur ajoutant des huiles essentielles.

Elles représentent un des meilleurs traitements de la peau, redonnent à l'épiderme finesse, éclat et souplesse, font le teint frais et retardent l'apparition des rides.

● Huile royale :
15 centilitres d'huile de jojoba
5 centilitres d'huile de rose musquée
40 g de fleurs de lys
6 gouttes d'huile essentielle d'ylang-ylang

Laissez macérer les fleurs dans l'huile 10 jours, filtrez et incorporez l'huile essentielle.

Les masques

Vous les effectuerez toujours sur une peau parfaitement propre et vous ne recouvrirez ni les paupières, ni le dessous des yeux.

Vous appliquerez sur vos paupières deux petites compresses imbibées d'une infusion de tilleul ou de bleuet pour les décongestionner. Vous profiterez de la pose du masque pour faire une petite relaxation.

● Masques express :
fraises coupées en deux
rondelles de concombre
purée d'avocat
banane écrasée
pulpe de pêche ou d'abricot
rondelles de tomates
œuf battu
crème fraîche
pommes de terre râpées

● Masque régénérant :
1/2 banane réduite en purée
1/2 cuillerée à café de miel
1/2 cuillerée à café de farine de seigle
1 blanc d'œuf battu en neige
1 cuillerée à café de purée d'amandes
1 cuillerée à café d'huile de bourrache ou de jojoba
3 gouttes d'huile essentielle d'orange

Mélangez ensemble tous les ingrédients et appliquez sur le visage 10 minutes. Rincez à l'eau fraîche.

● Masque désincrustant :
1 cuillerée à soupe d'argile verte
1 cuillerée à soupe de fromage blanc
1 à 2 cuillerées à soupe de jus d'orange
3 gouttes d'huile essentielle de romarin

LE BAIN DE VAPEUR DU VISAGE

Il a de nombreux avantages sur notre peau dont les pores se dilatent sous l'effet de la chaleur, laissant ainsi pénétrer la vapeur odorante qui nettoie alors notre épiderme en profondeur. La circulation sanguine du visage est également activée, favorisant l'élimination des déchets et apportant nourriture aux muscles.

● Comment procéder ?
— Versez dans un grand bol une bonne pincée de plantes ou quelques gouttes d'huile essentielle.
— Remplissez d'eau bouillante.
— Placez votre visage au-dessus du bol et entourez-le d'une serviette éponge afin que la vapeur ne s'échappe pas.
— Restez au-dessus de la vapeur 5 à 10 minutes (vous ne devez pas ressentir l'effet de brûlure).
— Lotionnez avec de l'eau fraîche, puis séchez délicatement.

CONSEILS EN VRAC

● Dans les soins du visage, ne dissociez jamais le cou dont la peau fine et délicate a autant besoin des mêmes attentions.
Pour plus de commodité, versez votre lotion dans un vaporisateur et pulvérisez directement la lotion sur la peau.

● Un léger brossage de la peau au moyen d'une brosse très douce, en augmentant la réceptivité de la peau, permet une meilleure efficacité et une absorption des principes actifs.

● Pour atténuer les poches sous les yeux, aspersion d'eau fraîche ou cataplasmes de pommes de terre crues râpées.

● Contre la couperose, compresses d'infusion d'hamamélis.

● Vos cils paraîtront plus épais si vous les poudrez légèrement avant de les maquiller.

● Pour soulager toutes les affections des paupières et des yeux, infusion d'euphraise officinale en compresses et en bains.

● Pour prévenir et soigner les gerçures, massage avec une huile préparée comme suit : mettez à macérer dans 10 centilitres d'huile de jojoba, 5 g de fleurs de souci et 5 g de mauve pendant 10 jours ; filtrez et ajoutez 2 gouttes d'huile essentielle de citron et 2 gouttes d'huile essentielle de lavande.

● En cas de gerçures, cataplasmes composés à parts égales de miel et fromage blanc, posés 20 minutes environ sur les lèvres.

● Pour éviter que le maquillage ne tourne, passez rapidement dessus un glaçon ; pour bien le fixer, passez sur votre visage une rondelle de citron avant de vous maquiller.

● Pour que votre crayon de maquillage soit moins cassant, laissez-le une nuit au réfrigérateur.

● Si votre bâton de rouge à lèvres s'est cassé en deux, faites ramollir les deux parties cassées à la flamme d'une bougie ou d'une allumette, puis les assembler délicatement. Placez votre rouge au réfrigérateur une à deux heures pour le faire durcir.

LES SOINS DE BEAUTÉ DES CHEVEUX

● Shampooing pour cheveux gras :
50 g de bois de Panama
1 litre d'eau
Faites bouillir le bois de Panama dans l'eau pendant 15 minutes. Filtrez et laissez tiédir avant d'utiliser.

● Shampooing pour cheveux secs et normaux :
70 g de saponaire
1 litre d'eau
Faites bouillir l'eau puis y verser la saponaire et laissez infuser 20 minutes. Filtrez et laissez tiédir avant d'utiliser.

● Shampooing sec express :
1 cuillerée à soupe d'argile blanche ou de poudre d'iris
Saupoudrez le cuir chevelu et laissez agir 5 minutes. Brossez plusieurs fois avant d'éliminer totalement la poudre.

● Shampooing nourrissant :
2 jaunes d'œuf
2 cuillerées à soupe de jus de citron
1 cuillerée à café de rhum
Mélangez bien et appliquez sur les cheveux en frottant. Rincez à l'eau tiède.

● Pour éviter la chute des cheveux, un bain d'huile est idéal : mélangez 20 centilitres d'huile de ricin, 2 cuillerées à café d'huile essentielle de romarin, 2 cuillerées à café d'huile essentielle de thym, 1 cuillerée à café d'huile essentielle de lavande, enduisez les cheveux de ce mélange, laissez agir toute la nuit et lavez les cheveux le lendemain.

● Contre les pellicules, utilisez la lotion suivante en friction sur le cuir chevelu, soit après le shampooing soit tous les matins : 20 g de romarin, 20 g de sauge, 20 g de serpolet ; faites bouillir les plantes dans 1/2 litre d'eau pendant 30 minutes.

● Pour cacher les cheveux gris, pensez au thé : faites bouillir 2 cuillées à café de thé noir dans 1 litre d'eau puis laissez infuser 48 heures ; utilisez cette lotion en dernière eau de rinçage après le shampooing.

● Pour obtenir une belle chevelure, le henné fait merveille, il rend les cheveux souples, brillants et épais, c'est un véritable soin du cheveu. Mais attention à la couleur surtout si vous êtes blonde. Lors de la pose, mettez des gants et faites attention à votre visage et votre cou qui prendraient eux aussi la couleur.
100 à 200 g de henné en poudre
eau
Délayez le henné à l'eau bouillante jusqu'à obtenir une pâte épaisse.
Appliquez sur les cheveux et recouvrez d'une serviette éponge.

Laissez agir de 15 minutes (reflets) à 2 heures (couleur accentuée). Rincez et procédez au shampooing.

● Pour de jolis reflets blonds, mettez à macérer dans un bocal 100 g de fleurs de camomille dans 1/2 litre d'huile d'olive pendant trois semaines. Filtrez et enduisez vos cheveux toute la nuit de cette huile de beauté ; faites suivre du shampooing.

CONSEILS EN VRAC

● Ne pas laver trop souvent les cheveux, vous risqueriez de détruire l'enduit protecteur sébacé ; deux fois par semaine est suffisant.

● Utilisez toujours une eau tiède et faites le dernier rinçage à l'eau froide pour resserrer les écailles.

● Ajoutez 3 cuillerées à café de vinaigre au dernier rinçage, vous éliminerez ainsi le calcaire de l'eau, préviendrez les pellicules et donnerez du brillant à vos cheveux.

● Brossez vos cheveux matin et soir avec une brosse en soies naturelles. Nos grand-mères disaient qu'il fallait au moins 100 coups de brosse et elles avaient raison.

● Coupez les cheveux en lune croissante, vous leur donnerez ainsi vigueur et force.

● Contre les cheveux gras, essayez des frictions au jus de citron ou de choucroute.

● Votre mise en plis tiendra mieux si avant de mettre vos rouleaux, vous appliquez de la bière sur vos cheveux.

LES SOINS DE BEAUTÉ DES MAINS

● Pour avoir des mains douces et bien hydratées, massez-les avec cette crème :
1 cuillerée à café d'huile d'olive
2 cuillerées à café de miel
1 cuillerée à café de jus de citron
1 jaune d'œuf
et laissez agir 15 minutes.

● Vous pouvez aussi enduire vos mains de beurre de karité, bien masser pour faire pénétrer complètement.

● Connaissez-vous le gant cosmétique cher à nos grand-mères ?
Il suffit de remplir de vieux gants (en cuir de préférence ou en coton) d'un mélange traitant et de les garder toute la nuit.
Vos mains seront belles et douces et complètement régénérées.
Gants types :
2 jaunes d'œuf
2 cuillerées à café d'huile d'olive
15 centilitres d'eau de rose
5 g de teinture de benjoin
2 gouttes d'huile essentielle de citron
2 gouttes d'huile essentielle de lavande
Mélangez tous les ingrédients et remplissez le gant.

● Brossez vos mains régulièrement avec une petite brosse en soie naturelle ; cette technique relance la circulation et prépare les mains à mieux absorber huile ou crème.

● Le massage des mains est également excellent, il stimule la circulation et est très bénéfique pour ceux et celles ayant les mains froides ou de l'arthrite.

Il empêche aussi les engelures et gerçures dues au froid.

● Pensez à utiliser des gants, en caoutchouc pour les vaisselles et lessives, spéciaux pour le jardin, en coton, en laine ou en cuir pour les sorties.

● Pour ôter les odeurs d'ail, frictionnez vos mains au marc de café.

● Avant de vous couper les ongles, faites tremper vos doigts dans de l'eau tiède 2 minutes.

● Laissez tremper vos mains dans un bain d'huile d'olive légèrement chauffée auquel vous ajouterez le jus d'un citron, 20 minutes une à deux fois par semaine.

Vos mains et vos ongles en profiteront également. Ce mélange vous servira plusieurs fois et est excellente pour les mains sèches, les ongles cassants ou qui se dédoublent.

● Si votre vernis à ongles est devenu trop épais, ajoutez-lui quelques gouttes d'éther, de dissolvant ou d'alcool à 90°. Pour éviter à nouveau cet inconvénient, conservez-le au réfrigérateur.

● Pour éviter les gerçures, séchez toujours soigneusement vos mains après passage dans l'eau.

LES SOINS DE BEAUTÉ DE LA POITRINE

● Pour raffermir la poitrine, l'huile de pâquerette fait merveille dit-on; vous la préparerez vous-même en remplissant un bocal de fleurs de pâquerettes fraîches et en le recouvrant d'huile d'amande douce. Laissez macérer une quinzaine de jours puis filtrez; massez vos seins tous les jours avec cette huile.

● Pour raffermir votre poitrine, massez vos seins avec une huile (de pâquerette ou autre), puis appliquez, quelques secondes, sur vos seins une serviette éponge trempée dans l'eau glacée et bien essorée.

● Des jets d'eau froide tonifieront votre buste en fortifiant les fibres élastiques.

● Pour vous tenir bien droite, imaginez quand vous marchez que vous tenez un crayon entre les omoplates et qu'il ne doit pas tomber.

LES SOINS DE BEAUTÉ DES JAMBES

● Pour soulager varices et œdèmes, une huile à passer le soir en massage sur les jambes :
20 centilitres d'huile de sésame
15 gouttes d'huile essentielle de cyprès
15 gouttes d'huile essentielle de genièvre
15 gouttes d'huile essentielle de romarin

15 gouttes d'huile essentielle de cajeput
15 gouttes d'huile essentielle de coriandre
15 gouttes d'huile essentielle de sassafras

● Pour améliorer la circulation :
20 centilitres d'huile d'olive
20 gouttes d'huile essentielle de romarin
20 gouttes d'huile essentielle de thym
20 gouttes d'huile essentielle de cyprès
20 gouttes d'huile essentielle de citron
20 gouttes d'huile essentielle de lavande
20 gouttes d'huile essentielle de menthe

● Pour prévenir la transpiration, la fatigue des pieds, préparez un talc à l'argile que vous saupoudrerez dans vos chaussures :
2/3 d'argile verte ou blanche surfine
1/3 d'armoise séchée et pilée finement
Bien mélanger et conserver en pots.

● Pour détendre vos jambes lourdes le soir, mettez les jambes à la verticale et massez-les avec une huile en mouvements circulaires des pieds à l'aine.

● Un bain sera également efficace contre les jambes lourdes et les pieds fatigués et enflés. Pour cela, il suffit d'ajouter à de l'eau chaude, tiède ou froide, un ou plusieurs des éléments suivants :
infusion de lierre grimpant, algues fraîches ou séchées huiles essentielles de romarin, cyprès, menthe ou citron

une décoction de feuilles de vigne rouge ou de noyer
2 cuillerées à soupe d'argile
3 cuillerées à soupe de gros sel marin
infusion d'hamamélis

L'eau doit arriver à mi-mollet au moins et vous passerez un gant imbibé de liquide sur toute la surface de vos jambes. Excellent pour décongestionner et apaiser vos jambes et leur redonner légèreté et tonus.

CONSEILS EN VRAC

● Montez les escaliers à pied aussi souvent que possible.

● Ne gardez jamais les jambes croisées ou repliées trop longtemps sous peine d'entraver la circulation sanguine.

● Surélevez le pied de votre lit avec des cales de 6 centimètres vissées sous chacun des deux pieds.

● Si vous avez tendance aux varices, crispez vos orteils le plus souvent possible, vous relancerez la circulation de retour.

● Vous avez un cor aux pieds, pour vous en débarrasser, mettez à tremper une feuille de sureau dans du vinaigre 15 minutes et appliquez-la sur le cor toute la nuit en la faisant tenir avec une bande. Recommencez l'opération si nécessaire 2 ou 3 nuits de suite.

LES SOINS DE BEAUTÉ DU CORPS

Pour adoucir l'épiderme et empêcher votre peau de devenir sèche et rêche, enduisez-vous régulièrement après votre bain d'une huile de beauté ; en voici deux, à vous d'en créer de nouvelles.

● Huile acidulée :
25 centilitres d'huile d'olive
l'écorce d'un citron
l'écorce d'une orange
10 gouttes d'huile essentielle d'orange
10 gouttes d'huile essentielle de citron
3 gouttes d'huile essentielle de santal
Faites chauffer au bain-marie l'huile avec les écorces 30 minutes environ.
Filtrez et ajoutez les huiles essentielles.

● Huile tonifiante :
25 centilitres d'huile d'olive ou de sésame
30 gouttes d'huile essentielle de romarin
30 gouttes d'huile essentielle de lavande
30 gouttes d'huile essentielle de serpolet
Bien mélanger tous les ingrédients.

● Nos grand-mères raffolaient des vinaigres de toilette et en usaient souvent.
Ils sont d'ailleurs fort utiles car, non seulement ils dissolvent le calcaire contenu dans l'eau de la douche ou du bain, mais ont aussi une action astringente, tonique et raffermissante sur l'épiderme.
Vous les utiliserez dilués à raison de 2 cuillerées à café pour un litre d'eau en frictions sur le corps après le bain dans l'eau de rinçage.
En voici un, à vous d'en inventer d'autres, il vous suffit de changer plantes et huiles essentielles.
Vinaigre parfumé :
1/2 litre de vinaigre de cidre ou de vin
10 g de lavande
10 g de thym
10 g de romarin
10 g de menthe

1 cuillerée à café de teinture de benjoin
Laissez macérer les plantes dans le vinaigre
3 semaines. Filtrez et incorporez le benjoin.

● Améliorez votre bain et faites-en un vrai soin de
beauté en lui incorporant des plantes, du miel, des
algues... en bref des éléments qui vont selon l'effet
recherché vous rafraîchir, vous stimuler, vous détendre
et vous faire une peau tonique, ferme et douce.
Quelques idées : infusion ou décoction de plantes à
votre goût, son, gros sel marin, farine d'avoine, bicarbonate de soude, huile essentielle au choix, algues
fraîches ou séchées, argile verte, miel.

● Essayez aussi ce délicieux bain, un peu onéreux,
mais tellement délassant :
250 g de son
150 g d'argile verte
1 litre de lait
150 g de miel
15 gouttes d'huile essentielle d'ylang-ylang
Versez dans le bain chaud l'argile, le lait, le miel,
l'huile essentielle.
Vous ajouterez le son dans un petit sachet de mousseline.

CONSEILS EN VRAC

● Pour éviter la transpiration, utilisez un cristal
d'alun ou le cristal de kalinite. Très efficaces, ces

produits totalement naturels vous protégeront pour la journée sans risque d'allergie ou d'irritations. Il suffit de les passer sous l'eau puis sur les endroits du corps que vous désirez protéger.

● Frictionnez tout votre corps après le bain avec le gant de crin, le loofah ou tout simplement un gant éponge. Vous éliminerez ainsi les cellules mortes, activerez la circulation, tonifierez la peau et faciliterez la pénétration des cosmétiques.

● Pour empêcher l'apparition de vergetures et pour les atténuer, massez les parties atteintes avec de l'huile de rose musquée.

● Pour favoriser le bronzage, massez-vous avec l'huile suivante :
20 centilitres d'huile d'olive ou de sésame
6 gouttes de teinture d'iode
le jus d'un citron

● Après une exposition au soleil, vous vous masserez avec de l'huile de millepertuis ou du beurre de karité.

● Si vous avez attrapé un coup de soleil, faites-vous un cataplasme de pomme de terre crue râpée.

CHAPITRE 6

LA SANTÉ AU JOUR LE JOUR

Bien souvent ces trucs feront sourire, mais sachez qu'ils sont issus de la médecine populaire, médecine qui s'est constituée au fil des siècles bien souvent par les malades eux-mêmes. Essayez-les, vous risquez d'être surpris mais que cela ne vous empêche surtout pas de consulter votre thérapeute.

● **Abcès** : prendre une grosse poignée de cresson ou de trèfle et la hacher finement. Battre en neige les blancs de cinq ou six œufs et mélanger œufs et herbes. Faire un cataplasme que vous mettrez dans un sac de toile aux mailles serrées et l'appliquer sur l'abcès le soir au coucher. À faire chaque soir pendant une semaine.

● **Acné** : faire des cataplasmes en hachant une tubercule de tubérance.

● **Aérophagie** : faire une décoction de 30 g de mélange à parts égales d'anis, badiane, carvi, fenouil par litre d'eau. Laissez bouillir quelques minutes et filtrez.

● **Ampoules aux mains** : préparer des cataplasmes de choux, laisser en place plusieurs heures.

● **Ampoules aux pieds** : bains de pieds dans une infusion de guimauve.

● **Angine** : faire des tisanes de fraisier, framboisier, guimauve et des gargarismes d'eau salée citronnée.

141

● **Aphtes** : avec un coton tige, appliquer du jus de citron sur les aphtes. Le traitement, s'il est radical, reste dur à supporter.

Vous pouvez également faire des bains de bouche plusieurs fois par jour avec 150 g de jus de citron mélangé à 100 g de miel et 20 centilitres d'eau. Laissez reposer 20 minutes.

● **Arthrite** : appliquer sur les articulations des compresses d'eau vinaigrée bien chaude.

● **Arthrose** : faire des cataplasmes en hachant une tubercule de tubérale.

● **Blessures** : toujours faire saigner vos blessures. Ensuite y appliquer de la salive (blessures peu importantes) ou du miel. Vous pourrez arrêter le saignement en recouvrant la blessure avec de la poudre de prêle. Pour faciliter la cicatrisation, appliquez de l'huile de rose musquée.

Pour calmer les douleurs, massez avec de l'huile de millepertuis ou de l'huile essentielle de lavande.

● **Bronchite** : faire un sirop de bouillon blanc. Prendre une bonne poignée de bouillon blanc et faire macérer dans un litre d'eau bouillante pendant 24 heures. Ajouter un kilo de sucre et amener à ébullition lentement. Faire cuire jusqu'à ce que le liquide devienne clair. Filtrer et mettre en bouteilles. Pour les bronchites chroniques, faire des infusions de mauve, coquelicot, serpolet.

● **Brûlures** : bien sûr en cas de brûlures importantes, vous devez consulter très rapidement une personne compétente. En cas de brûlures légères, vous soulagerez vos douleurs et favoriserez la guérison de multiples manières : en passant votre brûlure sous l'eau ou en appliquant sur la région atteinte de la pomme de terre crue, de la salive, des fleurs de lys macérées dans de l'huile d'olive, du blanc d'œuf battu en neige.

Vous pouvez également faire des compresses de lait ou d'huile de millepertuis.

● **Cauchemars :** si votre enfant fait des cauchemars, faites-lui prendre un bain de tilleul avant le coucher. Prendre également avant de se mettre au lit une infusion de fleurs d'oranger ou de mélisse.

● **Céphalées :** appliquez des tranches de citron sur les tempes ou un peu d'huile essentielle de menthe. Les bains de pieds de moutarde ont aussi la propriété de faire passer les maux de tête.

● **Cholestérol :** boire pendant 15 jours chaque matin un verre de jus de pommes frais.

● **Colique intestinale :** appliquer sur l'abdomen un sac de glace ou faire un cataplasme chaud de son. Prendre des infusions de menthe et de camomille.

● **Constipation :** vous pouvez essayer le matin à jeun une cuillerée d'huile d'olive ou consommer au réveil des pruneaux mis à tremper la veille ou encore prendre des tisanes de feuilles de frêne.

Remplacez le pain blanc par du pain complet sur levain, vous aurez ainsi les fibres nécessaires à un bon transit.

● **Coqueluche :** habillez l'enfant de rouge, mettez dans sa chambre des rideaux rouges (médecine chinoise). Mangez beaucoup d'oignons et buvez des infusions de coquelicot (4 g par litre d'eau bouillante) ou de raifort (30 g par litre).

● **Cor au pied :** faire des compresses de pétales de lys trempées dans du vinaigre. Même chose avec des feuilles de lierre ou des feuilles de poireaux (bien vertes).

● **Couperose :** infusion de persil. À appliquer en compresses sur les parties à traiter.

● **Crampes :** faire des bains de camomille, sauge, thym, achillée, algues ou feuilles de noyer.

● **Dartres :** faire des cataplasmes de feuilles de choux ou des compresses d'une décoction d'écorce de bouleau.

● **Dent (maux) :** placer un clou de girofle sur la dent. Vous pouvez également obstruer une carie douloureuse avec de la propolis.

● **Digestion (mauvaise) :** prendre des infusions de camomille, menthe, verveine, mélisse. Le thé à la menthe est également efficace.

● **Douleurs (rhumatismales) :** frictionnez les articulations douloureuses avec de l'huile de millepertuis. Boire chaque jour un litre de la décoction suivante :

mettre 120 g de racine de bardane à bouillir cinq minutes dans deux litres d'eau. Filtrez et conservez au frais.

● **Ecchymoses :** pommade de souci des champs, huile de millepertuis ou applications de feuilles de chou échaudées.

● **Échardes :** trempez le doigt blessé dans une tasse de lait chaud.

● **Empoisonnements :** téléphonez aussitôt au centre anti-poison.
Dans le cas où le poison a été ingurgité depuis moins de deux heures, essayez de faire vomir en faisant avaler de l'eau savonneuse ou un mélange d'eau et de cheveux hachés.

● **Engelures :** bains de mains ou de pieds dans une décoction d'écorce de chêne ou l'eau de cuisson de céleris. Vous pouvez également essayer le bain ferreux obtenu en faisant macérer 200 à 300 g de clous rouillés mais désinfectés dans un litre d'eau chaude, pendant deux jours. Ne pas sécher mains et pieds avec une serviette.

● **Entorse :** frictionner la cheville avec de l'huile de millepertuis et faire réduire l'entorse par un ostéopathe.

● **Énurésie :** faire des infusions d'un mélange

d'achillée, barbe de maïs et millepertuis. 1 cuillerée à soupe par tasse d'eau bouillante.

● **Envies (angiomes, taches de vin) :** remplir une bouteille avec des feuilles de cèdre ou de cyprès. Recouvrir d'alcool à 40° et abandonner au soleil pendant 10 jours. Avec cette teinture, tamponnez l'angiome plusieurs fois par jour.

● **Fatigue :** chaque matin, marchez dans l'herbe humide. Faites-vous faire des massages à l'huile camphrée ou à l'huile de camomille. Les douches alternées chaudes/froides donnent de bons résultats. Les faire suivre d'une bonne friction.

● **Fièvre :** faire un bain de siège froid. La fièvre tombera très rapidement.

● **Foie (fatigue hépatique) :** boire matin et soir un petit verre de vin d'artichaut. Faire macérer 20 jours dans un litre de vin blanc sec 50 g de feuilles froides hachées, 50 g de miel et 10 centilitres de jus d'oignon. Filtrer et mettre en bouteilles. Faire également des infusions de feuilles de noyer, thym, lavande, romarin. Enfin une bonne cure de jus de radis noir ne vous fera que du bien.

● **Furoncles :** faire des cataplasmes de feuilles de choux échaudées. Vous pouvez aussi les stopper (lorsqu'ils sont jeunes) par des applications de teinture d'iode. Une autre recette consiste en l'application d'oignon cuit.

● **Gale :** faire bouillir 3 gousses d'ail dans 50 centilitres d'eau pendant 20 minutes. Filtrer et laver les zones atteintes. Quand il s'agit de la tête faire un cataplasme de citron.

● **Gastrite :** prendre des infusions de mauve.

● **Gerçures :** faire fondre 50 g de saindoux et y mélanger 100 g de pétales de rose. Bien faire fondre, conserver en pots et appliquer sur les gerçures.

● **Gorges (maux de) :** pour adoucir la gorge, essayez cette vieille recette : faire bouillir pendant 30 minutes dans un litre d'eau 30 g de dattes, 30 g de figues sèches et 30 g de raisins secs. Passez et buvez. Faire aussi des gargarismes avec une décoction de feuilles de ronce miellée.

● **Grippe :** faire des bains de pieds à la moutarde (100 à 150 g de farine de moutarde dans l'eau chaude) suivis d'un grog bien chaud dans une infusion de bourrache ou de tussilage.

● **Haleine fétide :** s'il y a constipation parallèlement, se reporter aux traitements conseils : faire des gargarismes à la sauge, croquer des grains de café ou encore mâcher des feuilles de menthe ou des baies de genièvre.

● **Hématome :** faire des cataplasmes de prêle étuvée, chaude entourée d'un linge.

● **Hémorroïdes :** faire des cataplasmes de cerfeuil frais. Laisser en place trois heures.
Les bains de vapeur de bouillon blanc, mauve et pariétaire donnent de bons résultats.

● **Hoquet :** un truc tout simple, sucez un sucre. Si vous le désirez, vous pouvez le tremper dans du vinaigre.

● **Hypertension :** prendre des infusions d'olivier ou de garance.

● **Impuissance :** veillez à consommer de nombreuses plantes, aromates et épices réputés aphrodisiaques comme l'ail, l'anis, la cannelle, le céleri, la coriandre, le curcuma, le fenouil, les baies de genièvre, le gingembre, le ginseng, la menthe, l'oignon, le persil, la sarriette, la sauge, la verveine. Vous pouvez également porter votre choix sur la tisane de benoîte ou de centaurée et l'élixir de sarriette. Enfin chaque jour, mangez un jaune d'œuf cru mélangé à du miel. L'effet est, paraît-il, intéressant.

● **Indigestion :** une bonne infusion de verveine, menthe, serpolet ou cumin et il n'y paraîtra plus.

● **Infections (plaies infectées) :** les recouvrir de miel.

● **Insolation :** mettre rapidement le sujet à l'abri et appliquer de la glace sur la tête.

● **Insomnie :** avant d'aller vous coucher, faites glisser de l'eau froide sur votre colonne vertébrale pendant quelques minutes ou prenez un bon bain chaud avec une infusion de tilleul et de passiflore.

Dormez la tête au nord, dans une chambre aux murs peints en bleu et essayez aussi de manger une cuillerée à soupe de miel et une pomme bien mûre.

● **Ivresse :** boire une infusion chaude de verveine. Pour dégoûter quelqu'un de l'alcool, faire bouillir 15 minutes une poignée de feuilles de chêne sèches pour un bol d'eau. Verser 1 à 2 gouttes de cette décoction dans le litre de vin du buveur.

● **Jambes (escarres) :** appliquer des cataplasmes de consoude. Laisser en place 2 à 3 heures ou toute la nuit. Faire des bains de mauve.

● **Jambes lourdes :** faire des bains de pieds chauds dans lesquels vous aurez mis à infuser 100 g de feuilles de menthe, 100 g d'épines de pin et 100 g d'écorce de saule. Surtout ne pas faire de bain chaud complet des jambes. Douches alternatives chaudes et froides sur les jambes de l'aine au pied.

● **Lithiase :** prendre des décoctions de bourse à pasteur, aigremoine et feuilles de bouleau. 40 g du mélange par litre d'eau. Donner quelques bouillons puis boire trois tasses par jour.

● **Lumbago :** appliquer sur les reins une serviette chaude ou faire un cataplasme en faisant cuire 3 poignées de verveine dans un peu de vinaigre. Appliquer ce cataplasme bien chaud. Frictionner la zone douloureuse d'huile camphrée, huile de menthe ou de millepertuis.

● **Mains moites :** bien frotter vos mains avec de l'alcool camphré.

● **Mal d'avion ou de voiture :** sucer une noix de muscade.

● **Mal de mer :** autour du cou suspendre un petit sachet contenant du gros sel marin.

● **Mal de tête :** infusion de reine des prés, ulmaire ou valériane. 80 g par litre d'eau bouillante. Cataplasmes d'argile sur le front. Prendre un thé très chaud au citron.

● **Mémoire :** prendre des infusions de capucine. Essayez également la teinture de prêle.

● **Ménopause :** prendre l'infusion suivante : 30 minutes avant le petit déjeuner, faire infuser 40 g du mélange suivant : arnica, mousse Islande, valériane, mélisse, achillée et sauge dans un litre d'eau bouillante. Laissez infuser quelques minutes puis en boire une tasse.

● **Morsures :** commencez par inciser la plaie et faire saigner. Appliquez ensuite sur la plaie des fleurs de lavande ou de genêt à balai. L'huile essentielle de lavande est également efficace tout comme le cataplasme d'oignon cru.

● **Néphrite :** infusion d'ortie blanche, genêt à balai, gaillet et solidago.

● **Nervosité :** si vos enfants sont agités peindre les murs de leur chambre en vert. Prenez des bains de tilleul. Vous pourrez aussi boire des infusions de fleurs d'oranger, camomille, menthe, thym, serpolet ou gaillet. Mangez des fruits secs, des dattes et n'oubliez pas les lentilles.

● **Névralgie :** prendre des infusions de fleurs de bleuet ou appliquer sur la région douloureuse des demi-œufs durs chauds.

● **Nez rouge :** utilisez une lotion composée de 1 à 2 centilitres d'eau d'hamamélis, 10 centilitres d'eau de rose, 10 centilitres d'eau de fleurs d'oranger et 10 g de borax.

● **Obésité** : tisanes de marrube et de sureau en mélange (30 g/litre).

● **Œdèmes** : infusion d'écorce de sureau et bugrave ou de queues de cerises. Mangez beaucoup d'oignons et évitez de manger salé.

● **Ongles (cassants)** : bains de mains ou de pieds de mauve. Frictionner les ongles avec du jus d'oignon.

● **Ongles (durs)** : pour pouvoir les couper sans problème, les enduire chaque jour de glycérine.

● **Oreilles (mal d')** : cataplasmes d'argile sur les oreilles.

● **Otite** : placer une poche à glace sur les régions enflées. Dans le conduit externe de l'oreille, placer une racine fraîche de plantain ou un coton avec la teinture-mère de la même plante.

● **Oxyures** : faire manger à vos enfants des graines de courge. Consommer aussi beaucoup de carottes et de betteraves râpées.
La choucroute donne également de bons résultats.

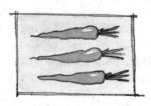

● **Panaris :** faire des bains de fleurs de foin et de mauve ou des cataplasmes de bouillon blanc mis à tremper dans du lait chaud.

● **Paupières gonflées :** faire des cataplasmes d'une infusion de thé froid. Faire également des cataplasmes de pommes de terre crues et râpées.

● **Peau :** pour adoucir votre peau, faire des frictions légères à l'huile de millepertuis, manger des carottes pour la vitamine A ou faire des frictions légères au gant de crin.

Pour les peaux irritées, faire des compresses de camomille ou passer de l'huile de millepertuis.

Pour les maladies de peau, compresses d'infusion de gaillet.

● **Pellicules :** se laver les cheveux avec une décoction de prêle.

● **Pertes blanches :** lavements avec une infusion de feuilles de noyer.

● **Pieds gonflés :** faire des bains de pieds avec une décoction de tussilage.

● **Piqûres d'insectes :**

— Guêpes : contre les piqûres de guêpes, éliminer en premier lieu le dard, puis frotter la blessure avec des fleurs de lavande, de l'huile essentielle de lavande.

Mâchez des feuilles fraîches de cassis. Appliquez sur la piqûre un oignon ou de l'ail. Si vous n'avez rien sous la main, faites couler de l'urine sur la piqûre.

— Insectes : même recommandation que ci-dessus, cataplasmes de feuilles fraîches d'angélique écrasées, de persil, de plantain.

● **Poux :** frictionnez le cuir chevelu avec une décoction de feuilles de noyer, de la lavande ou du thym frais.

● **Rachitisme :** faire prendre à votre enfant des bains dans lesquels vous aurez versé une décoction de feuilles de noyer.

● **Refroidissement :** prendre des tisanes plusieurs fois par jour d'ortie rouge.

● **Règles abondantes :** 30 minutes avant le petit déjeuner, boire l'infusion suivante : verser 40 g du mélange à parts égales d'arnica, mousse d'Islande, valériane, mélisse, achillée et sauge pour un litre d'eau. Laisser infuser 3 minutes, filtrez et buvez-en une tasse.

● **Règles douloureuses :** bouillotte chaude sur le ventre, tisane d'absinthe (5 à 6 g de fleurs pour un litre d'eau).

● **Rhumatismes :** frictions des endroits douloureux à l'huile de millepertuis ou à l'huile de thym, frictions avec des orties, frictions à la teinture-mère de romarin et de véronique, infusion d'aigremoine, lycopode, barbe de maïs, ortie rouge, coucou, cataplasmes chauds de farine de lin ou consoude, feuilles de bardane, poudre de feuilles de laurier (farines et poudres sont mélangées à de l'huile d'olive).

● **Rhume :** infusion de sauge ou de thym, gargarismes de fleurs ou racines de guimauve (30 g par litre d'eau bouillante), lavage des fosses nasales avec un lota.

● **Scarlatine :** boire chaque jour plusieurs tasses d'infusion de prêle.

● **Sciatique :** frictionnez tout le trajet du nerf avec de l'huile de millepertuis.

● **Sueurs :** infusion de sauge.

● **Tabac :** pour se désaccoutumer du tabac, mâcher de la racine séchée de roseau odorant.

● **Teint fatigué :** prendre chaque matin un verre de jus de raisin.

● **Torticolis :** frictions à la teinture d'arnica.

● **Toux :** faire un mélange à parts égales de fleurs de molène thapsus, pulmonaire, plantain et tussilage, 40 g par litre d'eau bouillante, faire infuser et filtrer.

● **Ulcères (d'estomac) :** prendre avant chaque repas, le matin un verre de jus de carottes, le midi de pommes de terre, le soir de chou. Mâchez des amandes douces.

● **Ulcère (variqueux) :** appliquer des cataplasmes de feuilles de choux ou boire des infusions de fleurs de souci.

● **Urine (rétention) :** tisanes de queues de cerise, thym ou serpolet. Consommez des asperges, artichauts, citrouille, orge, poireaux.
Faites une cure de baies de genièvre

● **Varices :**
— pommade de souci ou aigremoine
— infusion de souci ou aigremoine
— douches alternatives chaudes froides sur les jambes, matin et soir
— cataplasmes de marron d'Inde râpés
— frictions avec de l'huile de romarin, menthe et lavande.

● **Verrues :**
— appliquer sur les verrues de la sève de chélidoine ou de figuier.
— une lamelle d'ail posée sur la verrue et maintenue en place avec un sparadrap. À renouveler chaque jour.

● **Vers intestinaux :** mangez beaucoup d'ail et faites des lavements à l'ail en faisant bouillir une gousse d'ail écrasé dans 50 centilitres de lait. Filtrer.

● **Ver solitaire :** écraser pour un petit enfant 15 g de graines de citrouille avec du miel et une cuillerée à soupe d'huile de noix. Cette préparation se prend à jeun après un jour de jeûne.

● **Voix :** contre l'extinction de voix, prendre une décoction de cerfeuil frais dans du lait.

● **Yeux :**
— collés au réveil : une goutte de citron dans chaque œil.
— gonflés au réveil : compresses d'infusion de thé ou de racines de persil.
— conjonctivite : cataplasmes de persil frais haché.
— fatigués : compresses faites avec une infusion de sureau.

CHAPITRE 7

LES ANIMAUX DÉSIRABLES... ET INDÉSIRABLES

Les animaux domestiques

Chiens, chats, poissons rouges, hamsters, oiseaux sont très souvent présents autour de nous, mais connaissons-nous bien les gestes et actes élémentaires que nous devons leur prodiguer pour leur assurer une vie normale.

Le chien

● Choisissez un chien en rapport avec votre habitation. Un chien loup dans un appartement reste un non-sens. Le lieu ne lui est pas adapté. Ne pas non plus choisir un chien sur un coup de tête, il vous suivra pendant des années et peut donc devenir une gêne. Un petit chien si vous devez vous absenter est plus facile à emmener. Ce sont de bons animaux de compagnie mais ils ont l'inconvénient d'être particulièrement « présent ». Ils restent sans cesse avec vous.

Quelques trucs pour son alimentation

● Essayez de lui donner le plus souvent possible de la viande crue. Lapins et poules sont de très bonnes sources de protéines. Il appréciera aussi le foie et les tripes. Le poisson par contre n'est pas recommandé.

● Ajoutez à leur ration alimentaire des céréales même crues. Ainsi l'avoine est un aliment vital pour le chien car très riche en fer. Elle facilite également le nettoyage des intestins. Seront également utilisés l'orge, le seigle, le maïs et occasionnellement le riz (complet).

● Vous pouvez également y ajouter un peu de légumineuses exception faite du soja relativement indigeste. Les légumineuses doivent rester entières avec germe et enveloppe.

● Ajoutez également du persil haché, un peu d'ail et de la levure alimentaire à leur pâtée. Ils auront ainsi un beau poil et un système digestif en parfait état.

● Certains légumes racines et tubercules sont utilisés pour l'alimentation des chiens : navets, panais, ignames, carottes ou topinambours. Par contre, évitez la pomme de terre qui provoque gaz et coliques.

● Le lait quant à lui n'est pas conseillé. En excès, il peut provoquer de nombreuses maladies et faciliter l'apparition de vers. Par contre, le fromage blanc est toujours bien apprécié.

● Les chiens apprécient également tous les fruits oléagineux : arachides, sésame, noix, noisettes.
Ajouter aux céréales les graines de lin, excellent tonique pour l'hiver.

● Pensez à changer deux fois par jour l'eau de vos chiens. Ils sont comme nous constitués à 70 % d'eau. C'est un élément vital pour leur santé.

● Si un chiot ne peut pas être allaité, utilisez du lait coupé d'eau. Y ajoutez des flocons d'avoine et du miel.

● Les repas ont lieu toutes les trois heures. Un jaune d'œuf sera ajouté deux fois par jour, ainsi qu'un peu d'huile de sésame ou de maïs.

● Les interdits doivent être posés lorsqu'il est petit. Ensuite, vous ne pourrez plus le faire obéir.

● Pour lui parler, accroupissez-vous sinon vous risquez de l'apeurer.

● N'hésitez pas à le corriger en cas de bêtise... à condition de le prendre en flagrant délit.

● Si vous avez un petit enfant, ne le laissez jamais seul avec le chien.

● En cas d'empoisonnement, faire avaler à votre chien de l'huile de ricin, de l'eau salée ou des cristaux de carbonate de soude.

● En cas de rachitisme, ajoutez à sa pâtée des carottes crues, du persil, des algues, de la consoude, de la levure.

● Contre les vers, utilisez un laxatif au séné, de l'ail, de la rue.

LE CHAT

Par rapport au chien, le chat a l'avantage de rester très indépendant. Aussi pensez à leur aménager un endroit dans la partie la plus calme de la maison. Prenez un panier et garnissez-le de tissu en évitant laine et nylon.

● Les chats apprécient les nourritures variées : contrairement au chien, le chat ne mange pas de viandes ou poissons avariés ou faisandés. Il leur faut

161

de la viande fraîche. Les chats préfèrent le poisson à la viande. Aussi vous pourrez en guise de friandise, leur donner de temps en temps des sardines ou du thon en boîte.

● Ne donnez pas d'os cuits mais plutôt crus et en fin de repas.

● Si votre chat est malade, lui donner du yaourt dilué avec de l'eau d'orge et un peu de miel.

● Parmi les céréales, choisissez le sarrasin qui leur donne une fourrure épaisse et brillante et leur assure une ossification très solide. Le riz complet leur est également bénéfique.

● Apportez à leur ration alimentaire des légumes, principalement des carottes. Concombres et melons jaunes sont très souvent appréciés.

● Prévoir toujours une coupelle d'eau à la disposition de votre chat.

LES OISEAUX

En oisellerie, vous trouverez plusieurs catégories d'oiseaux dont les principaux sont les granivores se nourrissant de graines ou de biscuits, et les insectivores auxquels vous donnerez des pâtées spéciales.

● Canaris, perruches et perroquets sont des granivores. Les canaris mangent également du cresson, des carottes, de la chicorée. Par contre, évitez la verdure à votre perruche et sachez que le persil peut tuer votre perroquet.

● Tenir vos cages en état de propreté parfaite, nettoyez-les toutes les semaines.

● N'oubliez pas de leur fournir de l'eau en quantité suffisante.

● Pour compléter l'apport minéral, suspendez un os de seiche dans la cage.

Contre insectes et parasites

● Pour éviter les araignées, badigeonner l'extérieur des fenêtres et tous les coins où elles se cachent avec une solution bouillante d'alun (1 litre d'alun pour deux litres d'eau).

● Contre les cafards, placez une coupelle dans vos placards avec un mélange de sucre en poudre, borax et farine (1 cuillerée à soupe de chaque).

● Les chenilles : pour supprimer celles du jardin d'une manière écologique, placez des nichoirs adaptés à la mésange à tête noire. Vous pouvez également pulvériser une décoction de tiges de sureau, laurier rose, noyer, tabac, coloquinte ou hellébore blanc.

● Les doryphores font des ravages dans votre jardin ? Faites un élevage de perdrix et lâchez-les afin d'assurer la protection de vos plants de pommes de terre. Vous pouvez également planter entre vos pieds de pommes de terre des aubergines, mais n'espérez pas en récolter.

● Contre les escargots et les limaces : saupoudrez de la cendre de bois autour de vos plants ou semences. Adoptez un couple de hérissons. Ils nettoieront votre jardin.

● Placer sur votre terrasse ou entre vos plantations des coupelles remplies de bière, les limaces viendront immanquablement s'y noyer.

● Pour se débarrasser des fourmis sans utiliser de produits toxiques, nettoyez vos placards avec une décoction de feuilles de noyer ou placer du cerfeuil frais sur leur passage.
Elles ont également en horreur les cendres de cigarettes. Enfin rappelez-vous que le citron, à condition d'être pourri les éloigne.

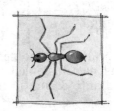

● Les guêpes quant à elles aiment l'eau sucrée. En mettre dans une bouteille de vin vide et elles s'y précipiteront.

● Pour éloigner les mites, placez dans vos armoires des fleurs de lavande, du bois de cèdre ou de l'absinthe séchée. Le camphre se révèle lui aussi extrêmement efficace. Enfin, vous pouvez utiliser d'autres antimites comme le thym, l'eucalyptus, la menthe, le géranium rosat.

● Contre les mouches, rien de plus efficace que de placer dans une coupelle un mélange d'eau (100 g), de formol (10 g) et de lait sucré (80 g).

● Pour protéger votre habitation de ces indésirables, placez sur les rebords des fenêtres des pots de basilic. N'oubliez pas non plus le camphre, véritable tue-mouches. Enfin, pensez lorsque vous repeindrez votre cuisine que les insectes ne supportent pas certaines couleurs comme le bleu, le vert tendre et toute la gamme des jaunes.

● Pour éloigner les moustiques, placez sur chacun de vos rebords de fenêtre des plants de géranium.

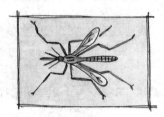

● Les poux reviennent en force : utilisez le vinaigre de lavande (100 g de lavande, 50 g de feuilles de menthe, 50 g de fleurs de tanaisie pour 200 g de vinaigre). Faire une décoction. Essayez aussi les décoctions de thym, feuilles fraîches de noyer, fruits de fusain.

● Pour éviter d'être piqué par les puces, enduisez-vous d'essence d'œillet ou placez dans votre lit des feuilles de noyer, de lavande, de menthe, de tomate, de fleurs de camomille séchée. Pour les piéger, placer sous une lampe une grande assiette remplie d'huile.

● Contre les pucerons : faites ce qu'on appelle un purin d'ortie dans de l'eau. Vous pouvez procéder de façon identique avec des mégots.

● Si vous avez des lits en bois, vous risquez de voir réapparaître les punaises. Badigeonnez alors vos boiseries avec de l'huile essentielle de lavande ou de géranium. Une décoction de feuilles de noyer se révélera tout aussi efficace à la dose de 300 g de feuilles pour un litre d'eau.

● Contre la teigne et la gale, faire sur les parties atteintes des compresses de décoction de thym vinaigrée ou d'huile de ricin.

● Plus dangereuse la termite. Vous en viendrez à bout si vous badigeonnez poutres et meubles avec une bouillie d'aloès frais ou une décoction d'aloès (10 g par litre d'eau).

POUR VOS ÉLEVAGES

Sans doute êtes-vous adepte des produits naturels, dans ce cas vous élevez vous-même des abeilles. Voici quelques conseils utiles aux débutants.

LES ABEILLES

Installez votre rucher sur un terrain sec proche d'un champ de fleurs (lavande, colza, luzerne, trèfle, sainfoin, sarrasin...) ou de vergers (tilleuls, acacias, amandiers, pêchers). Choisir des essaims constitués d'abeilles brunes ou abeilles communes, ce sont les plus sociables. Elles sont très méticuleuses et travaillent avec régularité. Il est nécessaire ensuite de choisir une ruche. Nous vous préconisons les ruches à cadres mobiles système américain, c'est-à-dire en forme de petits chalets ou à toit plat.

● La ruche Dadant est une ruche verticale maniable et qui facilite le travail des abeilles.

● Pour les régions très froides, portez votre choix sur une ruche Voirnot permettant un bon hivernage des abeilles.

Ensuite un minimum de matériel vous sera nécessaire afin de mener à bien votre récolte : de la cire gaufrée, un couteau à désoperculer, une centrifugeuse, un clarificateur, un tamis, un cérificateur solaire et bien sûr des pots. Prévoyez également un matériel de protection (gants à manchettes, chapeau avec voile de tulle, enfumoir) et matériel de manipulation (lève-cadres, grattoirs, racloirs et brosses). En ce qui concerne le travail proprement dit, suivez un calendrier précis de façon à obtenir la meilleure récolte possible.

● Dès avril, la ruche s'anime. Il peut encore faire froid, aussi pensez à vérifier si vos abeilles ont suffisamment de nourriture. Si elles sont en manque, mélangez un litre d'eau et deux kilos de miel. Éliminez tout rayon défectueux et assurez-vous que la ruche n'est atteinte d'aucune maladie.

● Au mois de mai, nettoyez les ruches et placez tous vos rayons. La récolte de miel va commencer.

● Au mois de juin, commencez à récolter et à extraire votre miel ; mettez en place sans perdre de temps des rayons neufs.

● Au mois de juillet, placez vos ruches à l'abri des grosses chaleurs ; ajoutez des cadres à feuilles de cire gaufrée ; donnez à boire aux abeilles.

● Au mois d'août, même travail qu'en juillet.

● Au mois de septembre, procédez éventuellement à une deuxième récolte. Supprimez alors les rayons superflus et préparez vos ruches à l'hivernage en prévoyant la nourriture dont elles auront besoin.

● D'octobre à mars, laissez vos ruches hiverner en toute tranquillité.

L'élevage des abeilles vous assurera votre consommation annuelle de miel. Chaque ruche donne de 20 à 30 kilos de miel. Le miel sert comme édulcorant dans les infusions, le thé ou le café et intervient dans la fabrication de nombreuses pâtisseries et boissons. Ne négligez pas non plus son action thérapeutique.

CHAPITRE 8

TRUCS
EN VRAC

● **Aiguille :** pour enfiler rapidement une aiguille, frottez le bout du fil avec du savon sec. Le fil une fois bien raide s'enfile très facilement.

● **Amadou :** prendre des vesces de loup, bien les écraser et les mettre à tremper dans de l'eau additionnée de 30 % de poudre noire.

Trempez vos cordons de coton dans ce mélange et vous aurez de bonnes mèches à briquet.

● **Argile :** pour éliminer les mauvaises odeurs, placez une assiette remplie d'argile concassée dans la pièce à assainir.

● **Aspirateur :** si vous désirez passer l'aspirateur dans vos tiroirs sans les vider, il suffit d'entourer l'embout de votre aspirateur avec un bas.

● **Balles de ping-pong :** pour éliminer les bosses, faites-les bouillir quelques secondes dans l'eau.

● **Bottes en caoutchouc :** elles vieillissent très vite et finissent par se fendiller. Pour éviter cela, frottez-les régulièrement avec un peu de glycérine ou de lait tiède.

● **Bouchons :** pour réutiliser un bouchon en liège sans le tailler, faites-le tremper dans de l'eau bouillante quelques minutes.

● **Bouilloire :** pour éviter la formation de calcaire au fond de votre bouilloire, placez-y une coquille d'huître.

● **Bouteille de vin :** pour la déboucher facilement, chauffez le goulot.

● **Bouteilles en plastique :** avant de les jeter, pour qu'elles prennent le moins de place possible, passez-les sous l'eau très chaude, pliez-les et remettez les bouchons.

● **Brosse :** recouvrir votre brosse à cheveux d'un vieux bas. Cheveux et pellicules y resteront collés.

● **Calcaire :** pour faire disparaître toute trace de calcaire de vos récipients, faites-y bouillir des épluchures de pommes de terre.

● **Chewing-gum :** si votre enfant revient de l'école avec un chewing-gum collé dans les cheveux, enduisez-le tout d'huile d'olive.

Laissez reposer trente minutes, puis lavez les cheveux normalement.

● **Ciseaux :** pour les aiguiser, coupez tout simplement du papier de verre.

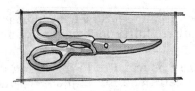

● **Clefs** : si vos clefs sont rouillées, faites-les tremper 24 heures dans un mélange composé de 35 % de pétrole et 65 % d'huile. Bien les essuyer avant de les poncer avec du papier de verre très fin.

● **Corne** : nettoyez vos objets en corne avec une brosse imbibée d'eau savonneuse. Rincez à l'eau tiède toujours en brossant. Séchez avec un linge.

● **Détachant :** voici la recette d'un détachant pour toutes les taches de graisse. Faites bouillir pendant 60 minutes 600 g de fiel de bœuf. Après avoir écumé, ajoutez-y 30 g d'alun et mettez en bouteilles bien fermées. Recommencez l'opération avec 600 g de fiel, mais remplacez l'alun par 30 g de sel de cuisine.
Mettez là encore en bouteilles et laissez reposer ces bouteilles pendant deux mois au frais. À la suite de quoi, mélangez les contenus des deux bouteilles en filtrant. Remettez en bouteilles.

● **Douche :** les rideaux de douche ne sont pas très esthétiques et difficiles à entretenir. Remplacez-les par du tissu éponge. L'entretien en sera simplifié.

● **Échelle :** pour éviter que votre échelle ne glisse, clouez sous chaque pied des morceaux de pneu.

● **Élastique :** pour ouvrir plus facilement un pot de confiture récalcitrant, entourez plusieurs fois autour de la capsule un élastique. Il empêchera votre main de glisser sur le métal.

● **Émail :** pour lui redonner sa brillance, frottez-le avec du citron.

● **Entonnoir :** si vous avez égaré votre entonnoir, remplacez-le par le haut d'une bouteille plastique.

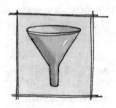

● **Éponge :** pour entretenir vos éponges, faites-les tremper de temps en temps dans de l'eau chaude citronnée ou bicarbonatée.

173

● **Extincteur :** vous fabriquerez un excellent extincteur en procédant comme suit : dissoudre dans 20 litres d'eau, 10 kilogrammes de sel de cuisine et 5 kilogrammes de sel ammoniacal.
Mettez en bouteilles. En cas d'incendie, lancez 2 à 4 bouteilles dans le feu fortement (les bouteilles doivent se casser). Très efficace.

● **Feu** : voici comment allumer un feu sans petit bois. Prendre 4 à 5 journaux. Pliez chaque page de façon à obtenir un format 20 × 30 cm puis torsadez très serré. Empilez les torsades les unes sur les autres puis enflammez.
Placez par-dessus vos grosses bûches. Pour ranimer un feu qui s'éteint, jetez dessus une poignée de gros sel. Vous l'entendrez crépiter à nouveau.

● **Feuilles mortes :** pour les ramasser plus facilement, recouvrez les dents de votre râteau avec un grillage fin.

● **Fumée** : pour éliminer la fumée dans une pièce, placez des éponges humides dans des coupes.

● **Insecticide liquide :** mélangez 80 g d'alcool, 10 g de camphre, 5 g d'essence de serpolet et 10 g de poudre de coloquinte. Laissez macérer 15 jours et vaporisez dans vos armoires.

● **Insecticide en sachets :** vaporisez 20 g d'huile essentielle de serpolet et 20 g de tétrachlorure de carbone sur des feuilles de buvard.
Découpez en fines lanières. Mettez dans de petits sachets avec des fleurs de lavande et de la poudre de pyrèthre (100 g de poudre et 100 g de lavande). Placez ces sachets dans vos armoires.

● **Lait :** pour coller des étiquettes sur pots et bouteilles, utilisez tout simplement du lait.
L'étiquette tient parfaitement mais se décollera facilement au lavage.

● **Livres :** pour nettoyer les reliures de vos livres, diluez un jaune d'œuf dans un peu d'alcool à 90°. Posez ce mélange avec un chiffon doux. Les cirer ensuite avec un peu de cire à la térébenthine.

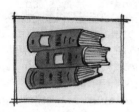

● **Marc de café :** ne pas le jeter, vous pourrez l'utiliser de multiples façons :
— comme désinfectant : versez le marc de café dans vos tuyauteries et faites-y couler de l'eau bouillante.
— comme désodorisant : pour désodoriser et assainir un plat en terre, y faire bouillir préalablement du marc de café.
— comme dégraissant : utilisez le marc de café pour dégraisser votre vaisselle.
— comme nettoyant : frottez vos différents métaux avec un chiffon recouvert de marc de café.
— comme dépoussiérant : idéal pour les tapis et moquettes. Étendre votre marc humide sur vos tapis. Brossez et aspirez.

● **Pantalons et jeans :** pour qu'ils conservent leur couleur, retournez-les avant de les passer à la machine.

● **Papier carbone :** pour prolonger la vie d'une feuille de papier carbone, placez-la quelques minutes sur une source de chaleur douce.

● **Parfum :** voici la formule d'un parfum très doux pour vos armoires. Mélangez 125 g de poudre d'iris,

100 g de fleurs de lavande, 60 g de fleurs de cassis, 15 g d'écorce de bergamote, 2 g d'ambrette et des clous de girofle. Bien pulvériser et mettre en sachets que vous disséminerez dans vos armoires.

● **Peau de chamois :** très souvent, nous vous conseillons de les utiliser. Pour les entretenir, faites-les tremper quelques heures dans de l'eau savonneuse bicarbonate. Bien frotter, rincer et faire sécher.

● **Piles :** pour recharger une pile usagée, mettez-la à bouillir quelques instants dans l'eau.

● **Pot :** un pot de confiture récalcitrant. Retournez-le et plongez le couvercle dans de l'eau bouillante. Vous pouvez également tapoter tout autour du couvercle avec la tranche d'une lame de couteau.

● **Rallonges :** pour ranger facilement vos rallonges (électriques, télévision...), utilisez des ronds de serviette.

● **Rayons :** se placer à une distance de 7 mètres de votre poste de télévision en couleur pour éviter de subir les effets nocifs des rayons émis.

● **Réfrigérateur :** nettoyez-le avec une éponge imprégnée de vinaigre d'alcool. Cela enlèvera, en même temps, toute odeur indésirable.

● **Statuettes :** pour nettoyer vos statuettes en marbre, lavez-les à l'eau vinaigrée ou oxygénée. Rincez-les à l'eau pure. Laissez sécher et frottez-les

avec un tissu imprégné d'huile d'olive dans laquelle vous aurez fait fondre un peu de cire. Pour teindre légèrement une statuette en plâtre, préparez une bouillie en dissolvant de la poudre d'amidon dans de l'eau tiède. Faites chauffer et appliquez au pinceau sur la statuette. Laissez sécher complètement.
Au fur et à mesure que le mélange séchera, il tombera en éliminant toutes les impuretés...

● **Tabac :** pour éviter qu'il ne sèche, ajoutez-y un morceau de carotte.

● **Timbres-poste :** s'ils se sont collés entre eux, mettez-les simplement au réfrigérateur.

● **Toile cirée :** pour éliminer les marques de fer chaud sur une toile cirée, mélangez un peu de sel avec quelques gouttes d'huile, puis étendez cette préparation sur la tache. Laissez agir quelques heures puis nettoyez avec de l'huile. Pour entretenir votre toile cirée, frottez-la avec un chiffon imbibé de lait, essuyez avec un linge humide puis sec.

● **Traces de doigts :** sur vos photos, elles disparaîtront avec un tissu imbibé d'alcool à 90°.

● **Tube** : pour vider complètement un tube (dentifrice par exemple), posez-le sur une surface plane et appuyez avec le pouce de bas en haut, le tube sera ainsi correctement vidé.

● **Velours :** le velours de vos vieux fauteuils est sale ? Frottez-le avec une brosse souple et un peu de sable.

● **Ventouses :** pour les faire vraiment tenir, passez-les à l'eau bouillante et passez de l'éther sur la surface où vous désirez appliquer votre ventouse.

● **Verres :** pour séparer deux verres bloqués l'un dans l'autre, remplissez d'eau froide le verre intérieur et trempez le verre extérieur dans l'eau chaude. La dilatation du second provoquera la séparation.

INDEX

A

abcès 141
abeilles 166
abricot 27
agrumes 27
acier 69
acné 141
aérophagie 141
agrumes 27
aiguille 171
ail 19-20
aluminium 69
amadou 171
amaryllis 112
ampoules aux mains 141
ampoules aux pieds 141
anchois 34
anémones 112
angine 141
aphtes 142
aquarelles 66
araignées 163
arbres fruitiers 107
argenterie 69
argile 171
arthrite 142
arthrose 142
artichaut 20
asperge 20
aspirateur 171
aubergine 20
azalée 112

B

balles de ping-pong 171
barbecue 50

basilic 105
beauté des jambes 133
béchamel 45
beignet 39
beurre 36, 39
bicarbonate de soude 47
bifteck 33
blancs en neige 39
blessures 142
boissons 38
boîte à outils 81
bottes en caoutchouc
 171
bouchons 171
bouilloire 171
bouleau 84
bouquets 113
bouteille de vin 172
bouteilles en plastique
 172
brik 46
brioche 39
broderies 60
bronchite 142
bronzage 138
bronze 70
brosse 172
brûlures 142

C

cactus 114
cadres 61
cafards 163
café 46
cake 40
calcaire 172

181

D

E

Achevé d'imprimer en novembre 1998
sur les presses de Publiphotoffset
Pour le compte des Éditions France Loisirs
Dépôt légal : décembre 1998
N° d'éditeur : 27605